Trwy'r Darlun

Diolch i Lydia Thomas, Porthaethwy,
am ei hanesion a'i chwmni;
a diolch o waelod calon i Nic, am bob dim

Hoffai'r Lolfa ddiolch i:

Mair Williams, Ysgol Gynradd Gymraeg Llantrisant;
Osian Maelgwyn Jones, Ysgol Gynradd Gymraeg Plascoch;
Hefin Jones, Ysgol Gynradd Talybont, Ceredigion

Golygyddion Cyfres yr Onnen:
Alun Jones a Meinir Edwards

Trwy'r Darlun

MANON STEFFAN ROS

I EFAN DAFYDD

Argraffiad cyntaf: 2008

℗ Hawlfraint Manon Steffan Ros a'r Lolfa Cyf., 2008

Comisiynwyd y gyfrol hon gyda chymorth ariannol Adran Plant,
Addysg, Dysgu Gydol Oes a Sgiliau

Cynllun y clawr: Cyngor Llyfrau Cymru

Rhif Llyfr Rhyngwladol: 978 1 84771 028 4

Cyhoeddwyd ac argraffwyd yng Nghymru
gan Y Lolfa Cyf., Talybont, Ceredigion SY24 5AP
gwefan www.ylolfa.com
e-bost ylolfa@ylolfa.com
ffôn 01970 832 304
ffacs 832 782

Pennod 1

"MMM."

Llyncodd Cledwyn yr olaf o'r sglodion poeth, cyn llyfu ei wefusau'n awchus. Gorweddodd ar ei gefn yn y tywod, a blas yr halen a'r finag yn morio yn ei geg. Gwenodd, a'i lygaid wedi hanner cau o dan belydrau'r haul. Fyddai o ddim yn cael sglodion yn aml, yn enwedig yn yr haf, ond doedd dim byd yn well ganddo nag eistedd ar un o dwyni Aberdyfi o dan yr haul llachar, yn mwynhau'r sglodion tewion, a'r saim a'r sôs coch yn rhedeg i lawr ochr ei geg.

Wedi gwledda, gorweddodd Cledwyn ar ei gefn yn gwylio'r cymylau bach uwchben, yn wyn ac yn grwn fel peli gwlân cotwm. Roedd hi'n bythefnos bellach ers i'r ysgol gau, pythefnos yn llawn diogi a mwynhau. Byddai Nain yn dechrau pob diwrnod gan wasgu darn dwy bunt poeth i gledr ei law, a gwenu arno'n ddireidus. Byddai yntau'n diolch a gwenu'n ôl, cyn rhuthro allan o'r tŷ a darn o dost yn ei law. Llenwai ei ddyddiau'n chwilio am grancod neu'n eistedd ar y twyni'n darllen. Am wyliau perffaith, meddyliodd.

Bu Cledwyn yn edrych ymlaen at y gwyliau hyn drwy gydol tymor yr haf yn yr ysgol. Doedd o ddim yn mwynhau'r ysgol, ac roedd cael dyddiau fel heddiw, dyddiau o wneud dim byd o gwbl, fel paradwys iddo. Wrth wylio'r gwylanod yn hedfan uwchben, syrthiodd Cledwyn i gysgu'n araf, y gwres fel blanced o'i gwmpas.

Doedd 'na ddim rheswm da pam nad oedd Cledwyn yn mwynhau'r ysgol: roedd o'n dda iawn yn ei waith a byddai'r athrawon yn ei ganmol i'r cymylau. Yn wir, roedd o wedi meddwl lawer tro y byddai o wrth ei fodd yn yr ysgol pe na bai 'na blant eraill yno. Edrychai'r bechgyn eraill yn ei ddosbarth fel cewri o'i gwmpas, eu breichiau a'u coesau trwchus yn anferth o'u cymharu â'i gorff bach eiddil ef. Teimlai Cledwyn yn lletchwith a swil wrth eu hymyl.

Roedd ganddo lygaid mawr a chlustiau oedd yn rhy fawr i'w ben, gan wneud iddo edrych fel cwningen ofnus. Ond yr hyn a dynnai sylw pawb at Cledwyn oedd y mop o wallt melyngoch yn sefyll yn flêr ar ei ben. Roedd y cyrls yn mynnu sboncio, dim ots faint o ddŵr na jel a ddefnyddiai i'w gosod yn eu lle. Roedd o hyd yn oed wedi cysidro eillio'r cyfan i ffwrdd, tan i Siân, ei chwaer, awgrymu'n dawel y byddai hynny'n gwneud i'w glustiau ymddangos yn fwy.

Cysgodd Cledwyn am awr a mwy, wrth i sŵn y môr ei hudo i gwsg dwfn. Agorodd ei geg i chwyrnu'n ysgafn, a breuddwydio...

Lleisiau! Wrth iddo agor ei lygaid yn araf, ac wrth i belydrau llachar yr haul ei ddallu, clywodd y lleisiau unwaith eto. Eisteddodd i fyny'n sydyn. Doedd o ddim am i neb ei weld yn cysgu, yn enwedig rhywun o'r ysgol. Bydden nhw wrth eu boddau'n cael rheswm ac enw newydd i weiddi arno dros iard chwarae'r ysgol. Gallai Cledwyn ddychmygu rhai o'r plant yn gweiddi "Cledwyn cici bei", neu'n gwneud sŵn chwyrnu'n uchel er mwyn ei herian.

Dros sisial y môr, cododd lleisiau'r merched dros y tywod, ac fe suddodd calon Cledwyn wrth iddo eu hadnabod. Roedd o wedi edrych ymlaen at chwe wythnos heb weld Caryl a'i chriw, a dyma nhw wedi dewis torheulo nid nepell o'i guddfan yn y twyni.

Roedd Caryl yn ferch dal a lluniaidd, gyda ffrindiau a wirionai arni yn ffysian o'i chwmpas drwy'r amser. Byddai ei gwallt euraid yn berffaith, ei dillad yn ddrud ac yn dwt, a'i gwên yn llydan ac annwyl pan na fyddai'n dod wyneb yn wyneb â rhai o blant llai poblogaidd y dosbarth. Bryd hynny, deuai gwg hyll dros ei gwyneb wrth iddi wneud sylwadau creulon ac afiach, er mawr foddhad i'w chriw. Chwarddai pawb wrth glywed ei bwlio creulon, er nad oedd dim yn ddoniol am eiriau piwis Caryl. Roedd hi wedi troi ei golygon creulon at Cledwyn fwy nag unwaith, ac er na fyddai o byth yn ei hateb yn ôl, teimlai ei fol yn troi bob tro wrth ei chyfarfod.

Dechreuodd Cledwyn gropian yn araf tuag at y lleisiau, er mwyn gallu clywed yn well. Ar ôl cyrraedd ochr y twyn, gallai weld Caryl a'i ffrindiau, Donna a Nerys, yn torheulo ar dywelion mawr oren ar y traeth. Diolchai Cledwyn ei fod o'n ddigon pell oddi wrthyn nhw: doedd 'run ohonyn nhw'n gallu ei weld. Gorweddai ar ei fol, yn clustfeinio ar eu sgwrs. Hel straeon oedd y tair fel arfer, yn hel clecs am bobl Aberdyfi a phlant yr ysgol. Gwrandawodd Cledwyn arnyn nhw am hanner awr a mwy, y tair yn pardduo pawb oedd yn ddigon anffodus i fod yn llai clyfar neu'n llai prydferth na nhw. Dechreuodd ddiflasu ar yr holl barablu cas, ac roedd o ar fin gadael pan glywodd lais Caryl yn codi'n uwch.

"Od ydi o!" meddai'n biwis. Roedd ei gwallt hir euraid wedi'i glymu uwch ei phen, a gwisgai sbectol haul â ffrâm drwchus goch. Gallasai hi fod yn ferch dlos ofnadwy, meddyliodd Cledwyn, heblaw am yr wg parhaol ar ei hwyneb. Cytunodd Donna a Nerys â hi, y ddwy fel y cŵn nodio sydd ar werth yn y siopau pob dim ar y stryd fawr. Fersiynau llai deniadol o Caryl oedd Donna a Nerys – Donna â'i dannedd mawr amlwg a Nerys â'i llais gwichlyd fel gwylan.

"Tydi o'n siarad efo neb!" meddai Caryl drachefn, gan chwifio'i dwylo i drio cael gwared ar bryfyn a hedfanai o gwmpas ei phen. "A 'toes ganddo fo ddim un ffrind!"

Gwrandawodd Cledwyn yn astud. Am bwy roedd y merched yn sôn? Rhywun o'r ysgol, tybed? Neu...

"Pwy fysa isho bod yn ffrindia efo fo? Ei ben yn ei lyfra'n dragwyddol," meddai Nerys gan wenu. "Hen hogyn rhyfedd ydi o."

"Wyt ti'n synnu, a fynta'n byw efo'i nain. Ma hi 'di colli gafal ar betha ers blynyddoedd!"

Llyncodd Cledwyn ei boer er mwyn rhwystro'i hun rhag ebychu mewn syndod. Doedd dim dwywaith mai amdano fo roedd y merched yn siarad. Pwy arall o'u hysgol nhw oedd yn byw efo'i nain?

"Ti'n iawn, Donna. Efo'i chlogyn gwirion, allan ym mhob tywydd!" Neidiodd Caryl ar ei thraed gan grymu ei chefn, a cherdded yn fân ac yn fuan ar draws y tywod. Curodd calon Cledwyn yn gyflymach wrth adnabod y cerddediad. Dynwared ei nain roedd Caryl.

"Ydach chi'n clywed?" meddai Caryl, ei llais yn uchel a sigledig mewn dynwarediad. "Ydych chi'n clywed y clychau'n canu?" Roedd Donna a Nerys yn eu dyblau'n chwerthin, eu sŵn yn dychryn y gwylanod uwchben. "Tydi hi'm yn gall!" meddai Caryl dan wenu. "Jyst fel Cledwyn Clustia!"

Cerddodd Cledwyn yn ôl adref yn araf, ei sandalau'n llusgo dros y tywod a'r palmentydd. Gwaeddai'r gwylanod uwch ei ben, a gwyliai ambell un o'r ymwelwyr y bachgen bach prudd yn edrych mor drist ar ddiwrnod mor braf. Phwyllodd o ddim hyd yn oed i wylio'r cychod yn yr harbwr.

Cyrhaeddodd ei gartref – tŷ tal â ffenestri mawrion – gan wthio'r drws i'w agor. Roedd y tŷ'n dywyll ac yn oer, ac fe aeth Cledwyn yn syth i'w lofft i blannu ei ben mewn llyfr.

Ac yntau'n eistedd wrth fwrdd y gegin y noson honno, yn pigo'i frechdanau ham, gwyliai Cledwyn ei nain. Safai â'i chefn ato, o flaen un o'r paentiadau anferth a orchuddiai'r wal – llun yn darlunio cae anferthol, gyda derwen fawr gam yn sefyll yn ei ganol. Yn gefndir i'r llun roedd coedwig enfawr, a thu ôl i'r goedwig safai mynyddoedd uchel a thywyll, ond tywynnai'r haul ar y dderwen ac ar laswellt hir y glaswellt. Safai Nain yn syllu ar y llun fel pe na bai erioed wedi'i weld o'r blaen. Amneidiai ei phen bob nawr ac yn y man, gan sibrwd "mmm", fel petai'n cael sgwrs â rhywun. Cyffyrddodd yr hen baent trwchus ar y gynfas â'i bys esgyrnog, ac yna ei dynnu dros y ffrâm bren.

"Be 'dach chi'n 'neud, Nain?" gofynnodd Siân mewn penbleth.

Roedd Sian yn eistedd yng nghornel y gegin mewn cadair esmwyth, yn bwyta brechdan ac yn darllen cylchgrawn i enethod pedair ar ddeg oed. Edrychai ar ei nain yn syn. Disgynnai ei gwallt tywyll tonnog dros ei hysgwyddau tenau, a meddyliodd Cledwyn am y canfed tro sut y bu hi'n bosib iddo gael chwaer mor brydferth ac mor wahanol iddo ef. Roedd Siân yn hardd, doedd dim dwywaith am hynny. Roedd ganddi groen hufennog heb bloryn, a'i llygaid gwyrdd fel dau emrallt o dan ei haeliau tywyll. Gwisgai sbectol gyda ffram ddu, a'i hochrau'n troi'n ddau bigyn at y nenfwd. Doedd hi'n gweld fawr ddim heb ei sbectol.

Yn wahanol iawn i Cledwyn, treuliai Siân ei dyddiau yng nghwmni'i ffrindiau, yn parablu ac yn cerdded y strydoedd a'r bryniau tan iddi nosi. Llenwai ei dyddiau ag anturiaethau, ac yn aml deuai â'i ffrind gorau, Beryl, yn ôl i'r tŷ. Byddai sŵn eu chwerthin o lofft Siân yn llenwi'r tŷ pan ddeuai Beryl yno. Doedd gan Cledwyn ddim syniad beth fyddai testun y sgwrsio, ond byddai o wedi hoffi gallu bod yn rhan o'r chwerthin weithiau. Dim bod Siân yn gas wrth ei brawd. Roedd hi'n garedig iawn, gan ddod i'w lofft i gael sgwrs yn aml cyn cysgu, weithiau tan yr oriau mân.

"Y llun," atebodd Nain, heb droi i edrych ar y plant. "Edrychwch ar y llun." Crafodd ei phen trwy ei chyrls gwyn, blêr, ei thalcen yn grychau i gyd wrth iddi feddwl yn ddwys.

"Ond ma'r llun wedi bod yna erioed, tydi Nain?" meddai Siân yn garedig. "Pam edrych arno fo heno?"

Trodd Nain i wynebu ei hŵyr a'i hwyres, gyda gwên yn goleuo'i hwyneb. Roedd y llinellau ar ei chroen fel map, a byddai dwywaith cymaint ohonyn nhw wrth iddi hi wenu fel hyn. "Mae o'n edrych yn lle braf, tydi? Yn y llun. Ydach chi'n cytuno?"

"Pwy baentiodd o, Nain?" gofynnodd Siân, gan roi ei chylchgrawn i lawr ar y bwrdd.

"Lle braf iawn, yndi wir," meddai Nain. Roedd hi'n gwisgo'i chlogyn coch a du, er ei bod hi'n gynnes yn y gegin, a chwyrlïai'r defnydd o'i chwmpas fel adenydd.

"Ydach chi wedi bod yno, Nain?" gofynnodd Siân, er i'w chwestiwn diwethaf gael ei anwybyddu'n llwyr. "Ydach chi wedi bod yn y lle yn y llun?"

"Mmm," atebodd Nain, heb droi i wynebu'r plant. "Dim i mi gofio, ond ma 'na lawer o betha tydw i ddim yn eu cofio'r dyddiau hyn."

"Mae Aberdyfi'n lle braf hefyd, yntydi Nain?" meddai Cledwyn, gan drio anghofio dynwarediad creulon Caryl o'i nain ffwndrus y prynhawn hwnnw.

"Cywir!" meddai ei nain, gan droi ar ei sawdl i wynebu'r plant. Hedfanai ei chlogyn o'i chwmpas a gwenodd ar Siân a Cledwyn, ei llygaid yn llawn direidi. Eisteddodd wrth y bwrdd cyn estyn am frechdan. "Rŵan. Pwy sydd am gêm o gardiau?"

Am weddill y noson, wrth i'r haul suddo'n is na'r gorwel drwy'r ffenest agored, eisteddodd y tri o gwmpas bwrdd y gegin yn yfed siocled poeth, yn chwerthin ac yn chwarae cardiau. Anghofiodd Cledwyn am Caryl a'i chriw wrth i Nain lenwi'r gegin â chynhesrwydd ei hen hanesion.

Am hanner awr wedi deg, rhoddodd Nain y cardiau'n ôl yn y drôr cyn anfon Cledwyn a Siân i'w gwlâu. Wrth iddo wisgo'i byjamas llwyd a golchi'i ddannedd, roedd Cledwyn bron â chysgu ar ei draed. Dringodd i mewn i'r gwely gan ochneidio'n fodlon. Gorweddai'n llonydd, y blancedi'n drwm ac yn gynnes, wrth iddo aros am ei sws nos da a gwrando ar Siân yn brwsio'i dannedd yn y stafell ymolchi dros y landin. Yna gwrandawodd ar sbrings ei gwely yn ei llofft drws nesa yn gwichian wrth iddi ddringo rhwng ei blancedi, a chlic y lamp yn cael ei diffodd.

Winciai'r sêr ar Cledwyn drwy'r ffenest. Doedd dim llenni ar ffenestri'r tŷ, gan sicrhau bod pawb yn deffro gyda'r wawr ac yn mynd i gysgu efo'r lloer a'r sêr yn edrych i mewn arnynt drwy'r gwydr trwchus.

Clywodd draed ei nain yn dringo'r grisiau, ac yna daeth i mewn a gwenu arno, cyn cerdded at y ffenest a sefyll i edrych allan dros y môr. Yng ngolau'r lleuad, edrychai ei gwallt gwyn fel plu meddal. Tybed sut un oedd hi, meddyliodd Cledwyn, cyn i'r crychau ymddangos ar ei chroen a chyn i'w gwallt wynnu? Cyffyrddodd Nain â gwydr y ffenest yn ysgafn.

"Wyt ti'n eu clywed nhw, 'ngwas i? Wyt ti'n clywed y clychau?"

Dechreuodd Cledwyn anesmwytho. Roedd Nain wedi gofyn y cwestiwn hwnnw ganwaith, ac nid yn unig i Cledwyn. Weithiau, wrth gerdded ar hyd glan y môr, byddai'n gofyn y cwestiwn i bwy bynnag a ddigwyddai basio – ymwelwyr, neu'n waeth byth, i blant yn nosbarth Cledwyn. Credai'r plant fod hynny'n hynod o ddoniol a byddent yn defnyddio lleisiau gwirion wrth ddynwared sŵn clychau gan ofyn yn gellweirus iddo a oedd yn eu clywed yn canu. Cochai Cledwyn at ei glustiau, gan ychwanegu at sbort y plant a gwneud iddynt chwerthin yn uwch fyth.

Ers cyn cof byddai Nain yn honni ei bod yn clywed sŵn clychau yn codi o berfeddion y môr. Pan oedd o'n hogyn bach, fe dreuliai oriau'n clustfeinio'n ofalus, ond eto chlywodd o erioed 'run smic. Erbyn hyn, roedd o wedi rhoi'r gorau i wrando. Hen stori wirion oedd yr holl beth, a theimlai'n wirion pan ofynnai Nain yr un hen gwestiwn iddo, dro ar ôl tro.

"Nain? Does dim rhaid i chi ddal i sôn am y clychau, wyddoch chi. Dim bob nos. Dwi 'di tyfu'n hŷn rŵan... Mi fydda i'n mynd i Ysgol Tywyn ar ôl yr haf..."

Trodd ei nain ato gan symud oddi wrth y ffenest, a dod i eistedd ar erchwyn ei wely. Gwenodd arno a mwytho ei dalcen yn fwyn.

"Byddi! Ac mi fyddi di wrth dy fodd, dwi'n siŵr." Plannodd sws ar ei foch. Cyn cau'r drws ar ei hôl, oedodd am eiliad a dweud, "Nid pawb sy'n gallu clywed y clychau, Cled. Ond mae gen i ffydd y byddi di'n gallu eu clywed."

Caeodd y drws ar ei hôl, gan adael i Cledwyn wrando ar y tonnau, a sbio ar y sêr.

"Cled! Cledwyn!"

Am yr eildro'r diwrnod hwnnw, cafodd Cledwyn ei ddeffro gan lais uchel. Agorodd ei lygaid, yn disgwyl gweld yr haul yn tywynnu ar ei wely. Doedd dim haul. Roedd y nos yn ddu, a'r lleuad yn dal i sbecian drwy'r ffenest. Doedd ganddo ddim syniad pa mor hir y bu'n cysgu, ond roedd o'n amau, oherwydd tawelwch y stryd y tu allan, mai oriau mân y bore oedd hi.

Rhwbiodd ei lygaid yn flinedig. Pam bod Siân yn gweiddi ei enw ganol nos? Cododd ar ei eistedd a gweld Siân yn sefyll wrth ei ddrws yn ei choban binc, ei hwyneb yn wyn fel y galchen a'i llygaid fel soseri. Doedd hi ddim yn gwisgo'i sbectol, ac fe edrychai'n wahanol iawn hebddyn nhw, yn iau ac yn fwy plentynnaidd. Edrychai ar ei brawd fel petai wedi gweld ysbryd.

"Be sy? Faint o'r gloch ydi hi?" gofynnodd Cledwyn yn gysglyd. Rhedodd ias oer i lawr ei gefn wrth iddo weld y sioc ar wyneb ei chwaer. Taflodd ei gynfasau'n ôl a chodi o'r gwely. Anwybyddodd Siân ei gwestiwn gan afael yn dynn yn ei law, a'i dynnu drwy'r drws.

Safodd Cledwyn ar y landin, gan feddwl ei fod o'n dal i gysgu. Doedd dim posib bod hyn yn digwydd go iawn! Dim ond mewn llyfrau neu ffilmiau roedd y ffasiwn bethau'n bod! Edrychodd ar wyneb gwelw Siân. Roedd hithau wedi dychryn llawn cymaint ag o.

Tyfai glaswellt ar y landin.

Roedd llwybr twt o laswellt yn arwain i fyny'r grisiau, dros y landin, ac i mewn i lofft Nain. Tyfai ambell flodyn yng nghanol y glaswellt, ac roedd pryfed bach prysur yn hedfan o'r naill i'r llall. Cerddodd Cledwyn yn araf i ystafell ei nain. Roedd cynfasau'r gwely wedi'u taflu'n ôl, fel petai hi wedi codi ganol nos a heb ddychwelyd. Fyddai Nain byth yn mynd heb ddweud gair wrth neb! Sgleiniai ambell welltyn yng ngolau'r lloer a gallai Cledwyn arogli persawr y blodau, yn felys ac yn gryf.

"Mae o'n arwain i lawr y grisiau," ebe Siân, a'i llais yn crynu. Edrychodd y ddau ar ei gilydd, yn gegagored. Roedd y tŷ'n hollol dawel, gyda dim ond sŵn y môr y tu allan i dorri ar y distawrwydd. Ni theimlai Cledwyn unrhyw ysfa o gwbl i ddilyn y llwybr o laswellt, ond gafaelodd Siân yn ei law eto a'i arwain i lawr y grisiau.

Llenwai'r glaswellt pob gris, ac felly bu'n rhaid i'r ddau gerdded trwyddo, gan droedio'n dawel drwy'r tyfiant uchel. Teimlai Cledwyn y glaswellt hirion yn feddal o dan ei draed, ac yn cosi gwaelod ei goesau. Ai dychymyg oedd yn gwneud iddo feddwl bod y glaswellt yma'n fwy sidanaidd ac yn feddalach na'r glaswellt a dyfai yn y caeau uwchben Aberdyfi?

Wedi iddynt gyrraedd gwaelod y grisiau, trodd y llwybr o laswellt yn daclus i mewn i'r gegin. Cyn troi'r gornel, teimlai Cledwyn chwys oer yn gafael ynddo, er ei bod hi'n ganol haf. Gan fod cymaint o ofn arno y byddai rhywbeth dychrynllyd yn aros amdanynt, bu bron iddo stopio yn ei unfan a gwrthod mynd i mewn i'r gegin. Ond cydiodd Siân yn gadarn yn ei law, a cherddodd y ddau, law yn llaw, i mewn i dywyllwch y gegin.

Yng ngolau'r lloer, gwelodd Cledwyn fod y llwybr yn arwain

yn syth at ben pellaf yr ystafell, dros y teils cochion ar lawr y gegin. Sylweddolodd hefyd ei fod yn dringo i fyny'r wal, cyn diflannu drwy ffrâm bren y llun y bu Nain yn edrych arno'r noson honno. Ond doedd y llun ddim yno bellach. Roedd y gynfas wedi'i rhwygo, a dim ond dafnau bychan ohoni ar ôl ar yr ochrau ac yng nghorneli'r ffrâm. Lle bu'r llun roedd twll mawr tywyll, a llwybr o laswellt yn diflannu i mewn iddo.

Gwelodd Cledwyn a Siân fod yno dwnnel; twnnel yr un maint â'r ffrâm, un tywyll, tywyll. Tydi hyn ddim yn bosib, meddyliodd Cledwyn; mae'r wal yna'n arwain yn syth at y tŷ drws nesaf. Ond doedd tywyllwch y twnnel yn ddim byd tebyg i dŷ Mr Jones a oedd yn byw drws nesaf, gan wneud i Cledwyn amau bod y twnnel yn arwain at rywle hollol ddiarth.

"O!" Clywodd Cledwyn ei chwaer yn ebychu'n dawel wrth iddi graffu i mewn i'r tywyllwch. "Nain druan!"

"Be wnawn ni, Siân?"

Cododd Siân ei hysgwyddau mewn penbleth. Edrychai'n ifanc ac yn eiddil yn ei choban binc. Diolchodd Cledwyn, serch hynny, ei bod hi'n cydio'n dynn ynddo a theimlai gysur yn ei chledrau poeth. Yna, fel petai wedi gwneud penderfyniad sydyn, gollyngodd Siân law Cledwyn a throi i'w wynebu.

"Does 'na ddim ond un peth i'w wneud. Mae'n rhaid i ni ddilyn Nain." Pwyntiodd Siân i mewn i'r twll, a edrychai'n fwy peryglus a digroeso nag erioed.

Pennod 2

BYDDAI CLEDWYN WEDI hoffi gwrthod â dilyn Siân. Doedd dim
un gronyn ohono eisiau dringo drwy'r twll tywyll a chropian
trwy'r twnnel er mwyn chwilio am eu nain. Roedd meddwl am
ei wely cynnes braf yn ddigon i wneud iddo fo eisiau rhedeg i
fyny'r grisiau a disgyn i drwmgwsg dan y cynfasau trymion. Ond
na. Roedd wyneb llon ei nain yn dawnsio yn ei gof, a gwyddai
fod yn rhaid iddo chwilio amdani.

Wrth i Siân fynd i nôl ei sbectol o'r llofft, craffodd Cledwyn i
mewn i'r twll. Doedd affliw o ddim byd i'w weld yno. Roedd o'n
gobeithio'n fawr mai twnnel ofnadwy o fyr oedd o, ac y gallen
nhw ddod o hyd i'w nain a dychwelyd yn ôl i'w gwlâu ymhen
hanner awr.

Dychwelodd Siân a'i sbectol wedi'i gosod yn daclus ar ei
thrwyn, dringodd yn chwim i mewn i'r twll gan gropian yn
ei blaen ryw ychydig, er mwyn rhoi lle i Cledwyn y tu ôl iddi.
Roedd o'n llawer mwy trwsgwl wrth ddringo i mewn, ei goesau'n
llithro ar y glaswellt llyfn a'i freichiau'n taro yn erbyn y ffrâm
bren. Cyn gynted ag yr oedd o ar ei bedwar, dechreuodd Siân
gropian i mewn i'r tywyllwch, a dilynodd Cledwyn yn agos at
ei thraed.

Doedd dim sŵn, heblaw am anadlu dwfn y ddau. Ymhen
ychydig, roedden nhw mewn tywyllwch, ac allai Cledwyn ddim
hyd yn oed weld ei drwyn ei hun. Roedd yn llwybr cul, a doedd
Cledwyn ddim yn hoff iawn o lecynnau caeedig. Daeth ysfa arno
i droi nôl, ond meddyliodd am ei nain, a daliodd ati i gropian
yn y tywyllwch.

Symudai Cledwyn a Siân yn araf drwy'r twnnel am hydoedd. Doedd 'run o'r ddau'n siŵr am faint yn union y buon nhw'n cropian, ond ymddangosai fel oriau maith. Gyda phob symudiad, teimlai cledrau'u dwylo a'u pengliniau'n fwyfwy poenus, a rhoddai arogl melys y blodau a dyfai ar y llwybr gur pen iddynt. Câi Cledwyn hi'n anodd dal ei dafod a rhwystrodd ei hun lawer gwaith rhag agor ei geg, er bod pob rhan ohono'n brifo erbyn hyn. Roedd dychmygu ei hun adref yn ei wely bach clyd bron yn ormod iddo.

Roedd meddwl am beth a fyddai ar ben draw'r twnnel yn llenwi meddwl Cledwyn, ac yn creu cryndod ym mêr ei esgyrn. Meddyliodd am fleiddiaid anferthol llwglyd, ac am grocodeiliaid slei, a'u llygaid oeraidd yn rhythu arno. Meddyliodd am y bwystfilod dychrynllyd yn ei lyfrau, ac am ysbrydion a'u pennau'n cael eu cario o dan eu ceseiliau. Roedd o'n casáu'r ffaith nad oedd neb arall yn dilyn y tu ôl iddo yn y twnnel, ac ambell waith teimlai'n sicr bod rhywbeth diarth, heblaw'r glaswellt a choesau'r blodau, wedi cyffwrdd â gwaelod ei draed noeth. Dywedodd wrtho'i hun mai breuddwydio roedd o, a daliodd ati i gropian yn ddewr.

Erbyn hyn roedd llygaid Cledwyn yn drwm a'i bengliniau'n ofnadwy o boenus, a phob symudiad yn brifo. Ildiodd ei gorff yn y diwedd, a gorweddodd ar ei fol ar y llwybr o laswellt, ei ben yn gorffwys ar ei ddwylo.

"Sorri Siân," meddai'n gysglyd. "Ma'n rhaid i mi gysgu."

"Cysgu! Yn fa'ma?" atebodd hithau, ond heb fod mor flin ag yr ofnai Cledwyn.

"Ond dwi'n ofnadwy o flinedig!" meddai Cledwyn, wrth i gwsg ddechrau gafael ynddo. Clywodd Cledwyn ei chwaer yn ochneidio cyn iddi hithau orwedd i lawr ar y llwybr.

"Dim ond am funud 'ta. Ddim am hir." Dylyfodd Siân ei gên yn swnllyd. "Fedra i'm aros i gael deud wrth Beryl am hyn i gyd!"

Ymhen munudau, roedd y ddau'n cysgu'n drwm, y glaswellt'n esmwyth oddi tanynt a'r tywyllwch fel y nos o'u cwmpas.

Doedd dim lleisau i ddeffro Cledwyn o'i drwmgwsg y tro hwn. Cysgodd am amser hir, a phan ddeffrodd, teimlai'n fywiog ac yn barod i gropian unwaith eto drwy'r twnnel. Roedd ei bengliniau a chledrau ei ddwylo'n dal i frifo, ond ddim hanner cymaint ag y gwnaethon nhw cynt. Gorweddodd ar ei gefn am rai eiliadau, gan adael i'w lygaid ddod yn gyfarwydd efo tywyllwch y twnnel...

Golau! Smotyn bach, bach o olau gwyn ym mhen draw'r twnnel! Cododd Cledwyn ar ei gwrcwd gan ymestyn at droed Siân, a hithau'n dal i gysgu'n drwm. Eisteddodd hithau ar ei hunion.

"Golau, Siân!" ebe Cledwyn, gan weld siâp ei chwaer yn rhwbio'i llygaid yn y tywyllwch. Trodd hithau ei phen tuag at y smotyn gwyn a chlywodd Cledwyn hi'n tynnu anadl dwfn.

"Sut...? Doedd o ddim yna cynt," meddai Siân, ei llais yn gryg.

"Mae'n rhaid ei bod hi'n fore," atebodd Cledwyn. "Ty'd!"

Wrth gropian tuag at y golau, roedd tymer llawer gwell ar y ddau a bu sgwrsio mawr am beth a fyddai'n eu disgwyl ym mhen draw'r twnnel. Credai Siân y byddai'n arwain i Gorris neu i Fachynlleth, a bod y twnnel yn gyfrinach rhwng Nain a Mr Jones drws nesaf. Allai Cledwyn ddim meddwl am ddim byd arall heblaw am ei stumog. Teimlai'n llwglyd a dychmygai weld bwrdd yn gwegian o dan bwysau treiffl a phwdin Swydd Efrog a chyw iâr a thost a mêl... Chwarddodd Siân wrth glywed ei fol yn taranu. Ymhen hir a hwyr, roedd y smotyn bach o olau'n dwll mawr o'u blaenau, a'r ddau'n disgwyl gweld Nain yn sefyll ac yn aros amdanynt ar yr ochr arall. Aeth y ddau i ben draw'r twnnel heb ofn yn y byd.

Doedd Nain ddim yno. Doedd dim bwyd yno. A doedd y fan honno'n ddim byd tebyg i Gorris, na Machynlleth.

Twll ym monyn derwen fawr oedd ceg y twnnel, ac wedi dringo allan ohono, safai Cledwyn a Siân ar ddarn o dir anferthol oedd yn ymestyn dros filltiroedd i bob cyfeiriad. Chwifiai'r glaswellt uchel a'r blodau yn yr awel. Tu hwnt i'r glaswellt, roedd coedwig enfawr, a'r tu ôl i'r goedwig roedd mynyddoedd mawr duon yn codi eu copaon yn greigiog a serth. Doedd dim un creadur byw i'w weld yn unman. Er na allai Cledwyn gofio iddo fod yno cyn hynny, roedd yr olygfa yn un gyfarwydd rywsut. Roedd hyd yn oed y siapiau cam ym mrigau'r dderwen yn gyfarwydd iddo. Gwyddai cyn edrych arnynt pa flodau a dyfai yng nghanol y glaswellt. Trodd at ei chwaer yn gegagored wrth iddo sylweddoli ble y gwelsai'r olygfa hon o'r blaen.

"Siân," ebe Cledwyn yn araf. "Rydan ni yn y llun!"

Doedd dim dwywaith amdani. Dyma'r union olygfa a oedd yn y llun yng nghegin eu cartref yn Aberdyfi... Y llun y bu Nain yn edrych arno'r noson cynt. Y llun a oedd wedi diflannu i wneud lle i geg y twnnel. Edrychodd Cledwyn o'i gwmpas mewn syndod – roedd sefyll yng nghanol y darlun yn deimlad od iawn. Er mor rhyfedd oedd bod yno, eto i gyd roedd 'na rywbeth braf am fod mewn lle cyfarwydd.

"Ty'd," meddai Siân, ar ôl iddi ddod ati hi ei hun. Dechreuodd gerdded am y mynyddoedd duon. "Mae'n rhaid i ni chwilio am Nain."

"Ond... Pa ffordd?" gofynnodd Cledwyn yn syn.

"Ty'd wir! Mi fydd yn antur i ti," meddai Siân, cyn tawelu wrth weld gwyneb Cledwyn yn troi i syllu ar y mynyddoedd.

"Shhh," daliodd Cledwyn ei fys at ei geg a chlustfeiniodd y ddau. Roedd sŵn fel taranau pell iawn, iawn yn llenwi'r awyr. Wrth iddynt wrando, tyfodd y sŵn yn uwch ac yn uwch, nes bod y ddaear o dan eu traed yn ysgwyd fel pe bai daeargryn yn eu taro. Safai Cledwyn wedi'i barlysu gan ofn, ei geg yn agored wrth i'r sŵn godi'n uwch ac yn uwch ac wrth i'r cryndod dan draed gryfhau. Agorodd ei geg i ddweud rhywbeth wrth Siân, ond cyn iddo gael cyfle, gwelodd ei chwaer yn pwyntio at y mynyddoedd yn y pellter.

Yng nghrombil y goedwig, codai cwmwl o fwg, fel petai yno dân yn y pellter. Wrth i'r twrw godi a'r cryndod dyfu, symudai'r mwg yn nes ac yn nes atynt. Daliodd Siân ym mraich Cledwyn a'i dynnu nôl at y goeden lle roedd ceg y twnnel, er mwyn cael dringo nôl i mewn iddo... Ond roedd y twll wedi diflannu! Doedd dim byd ond pren llyfn lle bu'r twnnel, ac er i Siân redeg o gwmpas y goeden, ei thalcen wedi crychu mewn penbleth ac anobaith, doedd dim unrhyw olion o'r twll i'w weld yno o gwbl.

"Ond," gwaeddodd Siân, "tydi o ddim yn bosib ei fod o jyst wedi diflannu!"

"Siân!" sgrechiodd Cledwyn, ei lygaid yn fawr a'i gorff yn crynu mewn ofn.

Rhwng bonion y coed, yn carlamu tuag at Cledwyn a Siân ar gyflymdra anhygoel, roedd y creaduriaid rhyfeddaf a welsai'r plant erioed. Cannoedd ohonyn nhw, yn taranu'n syth amdanyn nhw.

Roeddent fel dynion tal, pob un dros saith troedfedd, a'u cyrff wedi'u gwisgo mewn cotiau trwchus o flew tywyll. Roedd eu pennau a'u hwynebau'n hollol foel, a chymaint oedd eu cyflymdra fel bod croen eu hwynebau wedi'i dynnu'n dynn wrth i'r gwynt daro yn eu herbyn – croen gwyn fel sialc ac yn llyfn fel rhew ar wyneb llyn. Ond y peth rhyfeddaf oll am y creaduriaid hyn oedd y traed noethion. Pwyntiai'r bodiau am yn ôl yn lle ymlaen, gan edrych fel pe baent wedi troi eu traed am yn ôl i wynebu'r mynyddoedd uchel. Symudai eu coesau mor gyflym fel na chafodd y plant gyfle i sgrechian.

Wrth iddynt droi i geisio dianc, a'r creaduriaid yn agosáu, teimlodd Siân a Cledwyn ddwylo mawrion yn cydio yng nghefn eu dillad nos, a chawsant eu tynnu i fyny drwy frigau'r goeden nes eu bod ar y canghennau uchaf. Gollyngodd y dwylo eu gafael ar Cledwyn a Siân, a chydiodd y ddau'n dynn yn y canghennau trwchus. Roedd y creaduriaid islaw wedi pasio erbyn hyn, a sŵn taranu eu traed yn ymbellhau.

"Byth, byth, BYTH! Ddylsech chi BYTH fedeg i ffwfdd oddi wfth yf Abafimon!" Bu bron i'r plant ollwng eu gafael yn y brigau wrth weld y creadur bach a'u hachubodd. Roedd yn anodd gwybod ble i edrych – ar y cannoedd o greaduriaid tal yn rhedeg tuag at y gorwel, neu ar y peth bach od yma'n eu dwrdio.

"'Dach chi'n 'y nghlywed i? BYTH! Ma ffedeg i ffwfdd yn eu gwylltio nhw. Mae o'n gwneud iddyn nhw fedeg yn gynt. Ewch chi byth yn ddigon cyflym i ddianc ffagddyn nhw!"

"Gawson ni ddim cyfle i redeg!" meddai Siân.

"Diolch byth!" meddai'r creadur. "Neu 'sa chi ddim yma fŵan, mae hynna'n sicf!"

Creadur bach byr oedd o – yn ddim mwy na dwy droedfedd o uchder. Roedd ei gorff bach yr un lliw â choffi, ac fe wisgai sgarff o ddail wedi'u gwnïo wrth ei gilydd ac wedi'i lapio amdano. Roedd ei groen yn grychiog fel pe bai'n rhy llac i'w gorff, fel croen wedi llosgi yn yr haul. Un bach moel oedd o heblaw am ambell flewyn gwyn yn chwythu o amgylch ei gorun, ei lygaid yn fawr ac yn biws, a'i drwyn yn fach, fach uwchben ei geg ddiwefus. Chwifiai ei freichiau wrth ddwrdio'r plant, ei ddwylo anferthol yn taro'r brigau gan wneud i'r dail ddisgyn i lawr fel plu eira.

"Sorri," meddai Siân, heb dynnu ei llygaid oddi ar wyneb y creadur bach. "'Da ni'n... ym... yn newydd yma."

Rhwbiodd y creadur ei lygaid yn flinedig, cyn syllu ar Siân a Cledwyn yn eu tro. "Ia, ia," meddai. "Ddfwg gen i am gynhyffu. Gili Dŵ." Estynnodd law anferthol i Cledwyn. Ysgydwodd Cledwyn ei law'n betrus, gan deimlo'r croen sych, crychlyd ar gledrau dwylo Gili Dŵ. Trodd y creadur at Siân a moesymgrymu o'i blaen. Gwelodd Cledwyn fod ei chwaer yn trio'i gorau i beidio â chwerthin.

"Gili be?" gofynnodd Cledwyn yn syn. Roedd o wedi darllen am lawer o greaduriaid od, ond dim byd fel hwn. Yn rhyfedd iawn, doedd ar Cledwyn ddim ofn y peth bach rhyfedd a ymddangosai mor flin wrthyn nhw. Roedd Gili Dŵ wedi'u hachub rhag y pethau od hynny â'u traed yn pwyntio am yn ôl.

"Gili Dŵ. Ia, ia, mae'n siŵf 'mod i'n olygfa ddigon anaf-fefol i chi'ch dau. Ddfwg gen i os gawsoch chi sioc. Cael a chael oedd hi i mi eich achub chi, a dweud y gwif. Tydach chi ddim yn ysgafn a tydw inna ddim mof gyhyfog ag y buais i unwaith."

"Be ddeudsoch chi oedd eu henwau nhw? Abarimon?" Syllodd Siân ar y gorwel lle diflannodd y creaduriaid drosto. Golygfa ryfedd iawn fu gweld eu traed yn wynebu'r goeden a hwythau'n symud ymhellach ac ymhellach oddi wrthynt.

"Cfeadufiaid od dfos ben. Yn gyflymach nag unfyw gfeadur byw, ef bod eu tfaed nhw'n pwyntio i'f cyfeifiad anghywif. Sydd, wfth gwfs, yn eich twyllo chi i feddwl eu bod nhw'n gadael pan maen nhw'n agosáu atoch chi. Dydyn nhw ddim yn betha cymdeithasol iawn. Ond w! 'Na chi gotia del. Welwch chi'm byd cynhesach na blew afth, na wnewch wif. Ac ma 'na sglein neis afno fo, 'dach chi 'im yn meddwl? Ma nhw'n symud mof gyflym fel bod eu tfaed nhw ddim yn ca'l cyfle i lanio af lawf. Y sŵn tafanau… sŵn y gwynt yn chwyflïo o'u cwmpas nhw oedd hynna."

Trodd Siân a Cledwyn i edrych ar y creadur bach a achubodd eu bywydau. Roedd ganddo wyneb caredig, er mor wahanol oedd o i unrhyw un arall a welsai'r plant cyn hynny, ac roedd ei lais yn glên, er mai anodd oedd ei ddeall weithiau.

"Be amdanoch chi?" gofynnodd Siân. "Oes ganddoch chi deulu?"

Ysgydwodd Gili Dŵ ei ben yn drist, ac edrych ar ei draed. "Tydw i 'fioed wedi cyfafod ag un afall, yf un fath â fi."

Druan ohono fo, meddyliodd Cledwyn. Ar ei ben ei hun bob dydd heb unrhyw greaduriaid eraill fel fo i siarad ag e. Mae'n siŵr bod ei fywyd yn ddigon unig.

"Fydw i'n mwynhau fy hun!" gwenodd Gili Dŵ wrth weld yr olwg brudd ar wyneb Cledwyn. "Mae gen i dŷ clyd, digon o fwyd yn fy nghypyfddau, a mwy o lwybfau hafdd i fynd am dfo nag y medfa i eu cefdded. Does dim angen teimlo bechod dfosta i." Neidiodd Gili Dŵ yr holl ffordd i lawr, gan lanio'n berffaith ar y glaswellt flodeuog. "Dowch, mae'n saff fŵan."

Er mor bell roedd y llawr, neidiodd Siân o'r brigau uchel a glanio yn y blodau lliwgar, y petalau'n dawnsio'n ysgafn ar ei choesau. Arhosodd Cledwyn yno yn y canghennau, gan edrych i lawr yn betrus.

"Tyfd, hogyn bach! Mae'f blodau'n feddal fel clustog... Wnei di ddim bfifo! Deud y gwif, ma gin i glustog adfa wedi'i wneud o'f petala hyn... Ofnadwy o smaft... Feit anaf-fefol."

Syllodd Gili Dŵ ar Cledwyn, ei lygaid mawr yn pefrio fel perlau yn yr haul. Arhosodd Cledwyn yn ei unfan, gan deimlo'n flinedig yn sydyn. Roedd o wedi cael ei ddychryn yn y wlad od yma, yn arbennig gan yr Abarimon, gyda'u hwynebau tyn a'u cotiau trwchus. Byddai neidio i lawr o'r ffasiwn uchder yn mynd gam yn rhy bell.

"Mae o'n bell, bell i lawr," gwaeddodd Cledwyn. Gwelodd fod Siân yn rholio'i llygaid.

"Paid â bod yn fabi," gwaeddodd ar ei brawd. "Fedri di ddim aros i fyny yn fan'na am byth!"

Ond aros gan eistedd ar y canghennau wnaeth Cledwyn. Roedd o'n benderfynol o beidio â neidio.

"Cled!" gwaeddodd Siân eto. "Ty'd! Gawn ni antur!" Ond dal i edrych yn betrus wnaeth Cledwyn...

Ding-dong! Ding-dong!

"Be 'di'r sŵn yna?" gwaeddodd Cledwyn. Edrychodd Siân a Gili Dŵ ar ei gilydd.

"Chlywa i ddim sŵn!" atebodd Siân.

Ding-dong! Ding-dong!

"Dyna fo eto!" Heb feddwl, llamodd Cledwyn o frig y goeden a glanio'n dwt ar y glaswellt, a hwnnw fel matres oddi tano.

"Pa fath o sŵn?" gofynnodd Siân, gan graffu'n amheus ar ei brawd.

"Dim ots," meddai Cledwyn, gan osgoi dal llygaid Siân. Roedd o'n gwybod yn iawn pa mor rhyfedd fyddai gorfod dweud wrthi ei fod o, fel Nain, yn clywed sŵn clychau'n canu yn ei ben. Mae'n rhaid ei fod yntau'n drysu.

"Feit ta," ebe Gili Dŵ'n benderfynol. "Fŵan, ffaid pendefynu sut i'ch ca'l chi adfe."

"Ond tydan ni ddim isho mynd adre eto," meddai Siân. "Mae'n rhaid i ni ddod o hyd i Nain gynta. A beth bynnag, dwi isho cael sbec rownd y lle 'ma."

"Be ddeudsoch chi am eich nain?"

"Mi ddaeth hi 'run ffordd â ni. Mae'n rhaid i ni ddod o hyd iddi," meddai Siân eto.

"Dod o hyd i fywun? Yn fan hyn?" meddai Gili Dŵ gan chwifio'i freichiau o gwmpas, a phwyntio at y mynyddoedd mawrion ar y gorwel. "Dwi ddim yn meddwl."

"Ond be am Nain?" Gofynnodd Cledwyn, â'i galon yn suddo gydag anobaith.

"Nain, Nain, Nain... Pwy ydi'f nain 'ma 'dach chi'n mwydfo amdani o hyd?"

Ac felly adroddodd Siân a Cledwyn yr hanes am eu nain: am ei chartref yn Aberdyfi; am y llun o'r dderwen a'r glaswellt ar wal y gegin; ac am y twnnel a ymddangosodd yn ffrâm y llun, ganol nos. Lledodd Gili Dŵ ei lygaid wrth iddynt ddweud bod Nain wedi diflannu drwy'r twnnel. Wrth iddynt adrodd yr hanes, dechreuodd Gili Dŵ wylo'n dawel, gyda dagrau anferthol yn ymlwybro i lawr ei ruddiau crychiog.

Wedi iddyn nhw orffen eu stori, dechreuodd Gili Dŵ weiddi crio, a thaflodd ei hun ar ei fol ar lawr gan bwnio'r ddaear gyda'i ddyrnau, ei sgrechiadau dagreuol yn adleisio dros y wlad. Edrychodd Cledwyn a Siân ar ei gilydd, gan drio peidio â gwenu. Roedd Gili Dŵ'n gwneud sioe fawr o'i deimladau, ac er bod gan y plant biti mawr drosto, roedd yn anodd peidio â chwerthin.

Ymhen hir a hwyr, peidiodd y crio ac eisteddodd Gili Dŵ ar y glaswellt gan edrych ar y plant, ei lygaid mawr yn goch. "Dim gobaith," meddai, a'i lais yn crynu. "Ffaid i chi fynd adfe fŵan, cyn i chi fynd i fwy o dfaffefthion!"

"Ond allwn ni ddim!" meddai Cledwyn. "Mae'r twll ym monyn y goeden wedi cau!"

"Dim gobaith! Ddowch chi byth o hyd i'ch nain fŵan."

Gwelodd Cledwyn wyneb ei chwaer yn caledu a'i llygaid yn culhau. Doedd Siân ddim yn un am roi'r ffidil yn y to.

"Rydw i a Cledwyn yma i nôl Nain. 'Dan ni ddim yn mynd yn agos at Aberdyfi heb fynd â Nain efo ni." Dechreuodd Gili Dŵ siarad ond torrodd Siân ar ei draws. "Mi gei di ein helpu ni, ond does dim rhaid i ti. Mi gawn ni hyd iddi ar ein pennau ein hunain."

Syllodd Gili Dŵ ar y ddau am ennyd, fel petai'n torri ei fol eisiau dweud rhywbeth. Ar ôl saib fer, trodd ar ei sawdl ac ochneidio, gan ystumio gyda'i law ar i Siân a Cledwyn ei ddilyn. Taflodd Siân gip direidus ar ei brawd, a gwenu'n gyfrwys.

Pennod 3

DILYNODD SIÂN A Cledwyn Gili Dŵ wrth iddo gerdded tuag at y mynydd coediog. Er bod yr haul yn tywynnu uwchben, crynai Siân o dan ei choban denau. Roedd yr awel yn siffrwd fel sibrydion drwy'r blodau dan eu traed.

"'Swn i'n gwneud ffwbath am banad o de fŵan. Feit! Ffaid i ni f-fysio! Cyfaedd y tŷ cyn iddi nosi," meddai Gili Dŵ â'i wynt yn ei ddwrn. Roedd o gymaint yn fyrrach na Siân a Cledwyn fel bod yn rhaid iddo redeg er mwyn cadw ar y blaen. Roedd gorchudd tenau o chwys ar ei groen brown.

"Ond fydd hi ddim yn nos am hydoedd eto!" ebe Cledwyn.

"Fedfwch chi byth ddweud yn fa'ma. Weithia ma'r dydd yn pafa awf a'f nos yn pafa ugain awf; weithia y ffofdd afall," atebodd Gili Dŵ. "W, panad a sgon hefyd. 'Swn i'n gwneud ffwbath am gael sgon i'w bwyta. Fŵan, dowch!"

Wrth i'r tri agosáu at y goedwig, dechreuodd calon Cledwyn guro'n gyflymach. Safai'r coed pinwydd yn agos i'w gilydd fel rhesi o filwyr, eu bonion yn drwchus a thywyll. Wrth iddyn nhw adael y glaswellt a cherdded ar hen nodwyddau pinwydd marw dan draed, daeth tywyllwch dros y tri fel petai swits y golau wedi'i ddiffodd yn sydyn. Ychydig iawn o olau'r haul a dreiddiai trwy'r coed trwchus o'u cwmpas. Bu bron i Cledwyn stopio wrth weld yr olygfa o goed diddiwedd o'i flaen, ond yna cofiodd am ei nain a gorfododd ei hun i roi un droed o flaen y llall. Roedd y goedwig yn fawr a doedd dim syniad ganddo pa mor bell oedd tŷ Gili Dŵ – fyddai hi ddim yn talu i betruso.

Wrth i Cledwyn, Siân a Gili Dŵ gerdded yn ddyfnach i

mewn i fol y goedwig, ac ymhellach i fyny'r mynydd, aeth y llwybr yn fwy serth a'r cysgodion yn dywyllach. Yr unig sŵn i'w glywed oedd eu hanadlu dwfn a'u traed ysgafn ar y llawr. Roedd tawelwch yn drwm yn yr awyr.

"Bfysiwch!" ebe Gili Dŵ dan ei wynt, heb droi yn ôl i edrych ar y plant. Crynai ei lais gan dorri ar y tawelwch llethol. Llanwodd calon Cledwyn ag ofn wrth feddwl am yr Abarimon – y rheiny â'u traed yn wynebu'r ffordd anghywir. Tybed oedd 'na ambell un yn dal i lechu yn y coed ac yn eu gwylio ar hyn o bryd?

"Ffaid i ni gyffaedd adfe efbyn nos," meddai Gili Dŵ wedyn, ei anadl yn cyflymu. "A pheidiwch â gwneud 'fun smic. Gofe po gynta y byddwn ni adfe."

Cyflymodd y tri, er bod y pigau bach yn brifo gwaelodion eu traed. Teimlai Cledwyn yn ofnus yn nhywyllwch y goedwig. Edrychodd ar ei chwaer. Roedd hi'n edrych ar y llawr, a'i hwyneb yn llwyd. Welodd o 'rioed mo'i chwaer yn edrych mor ofnus chwaith. Syniad da, meddyliodd Cledwyn, wrth weld ei llygaid hi'n dilyn ei thraed, ac felly fe edrychodd yntau hefyd ar ei draed wrth gerdded, gan osgoi cymryd 'run cip ar y coed o'u cwmpas.

I leddfu'r ofn a lanwai ei gorff, gorfododd Cledwyn ei hun i feddwl am Aberdyfi. Llanwodd ei feddwl ag arogl cinio dydd Sul ei nain; teimlodd y tywod poeth rhwng bysedd ei draed; a chlywodd flas siocled poeth ar noswyl Nadolig. Dychmygodd ei hun yn cerdded ar lan y môr, yn hytrach na thrwy'r goedwig hon yn llawn cysgodion. Ond dôi ei feddwl yn ôl bob tro at y bonion praff a'r tywyllwch o'u cwmpas. Roedd bod yn y fan hyn fel byw mewn hunllef.

Cerddodd y tri mewn tawelwch am awr a mwy. Daethant

i gopa'r mynydd ac yna dechreuodd y llwybr esgyn yn serth unwaith eto. Wrth frysio, llithrodd Cledwyn ar y nodwydd pinwydd dan draed a glanio ar ei ben-ôl – roedd sŵn ei gwymp yn diasbedain yn nhawelwch y goedwig.

"Ty'd," ymestynnodd Siân ei llaw a'i dynnu'n ôl ar ei draed. Ceisiodd Cledwyn rwystro'i hun rhag edrych i fyny drwy'r coed, ond mynnodd ei lygaid grwydro. Rhewodd wrth syllu i'r gwyll.

Roedd o wedi gweld symudiad. Rhwng dau fonyn coeden, gwelodd gysgod yn symud yn gyflym fel y gwynt, a rŵan roedd y cysgod yn cuddiad y tu ôl i fonyn trwchus. Syllodd Cledwyn yn gegagored ar y goeden, gan deimlo ofn yn rhedeg yn oer trwy'i wythiennau. Pwyntiodd at y man lle gwelsai'r cysgod.

"Roedd 'na..."

"Dowch!" Tynnodd Gili Dŵ ar freichiau'r ddau, gan barhau ar ei daith. Gafaelodd Cledwyn yn dynnach nag erioed yn ei chwaer, ei ddwylo'n wlyb o chwys. Teimlai gymaint o arswyd fel na allai feddwl yn iawn. Mae'n rhaid ei fod o mewn hunllef! Cyhuddai Siân ef o fod yn llwfrgi weithiau... pan gredai iddo weld cysgod ar y landin neu glywed llais yn dod o dan ei wely – ond roedd hyn yn wahanol. Gwyddai'n hollol sicr fod rhywbeth yn eu gwylio drwy'r coed. Paid â chynhyrfu, meddyliodd, a cheisiodd hel meddyliau am lan y môr yng nghanol haf...

Clywodd Cledwyn sŵn a barodd i'w waed rewi.

Trwy gysgodion tywyll y coed, daeth siffrwd ysgafn fel ochenaid. "Gw-ydd-fid." Stopiodd Cledwyn yn stond. Edrychodd Siân arno'n gegagored. Roedd hithau wedi clywed y sibrwd. Edrychodd y ddau o'u cwmpas yn wyllt, ond doedd dim i'w weld. Dechreuodd Gili Dŵ dynnu ar eu breichiau unwaith eto, ei lygaid porffor yn erfyn arnyn nhw i ddal ati i gerdded...

"Gw-ydd-fid!" Roedd y llais yn gryfach y tro hwn, ac yn hanner canu'r enw yn chwareus, fel plant ar iard ysgol. Syllodd Siân ar Gili Dŵ cyn gafael yn dynn yn ei arddwn.

"Llais... Pwy?" sibrydodd, ei llygaid fel soseri ac yn pefrio fel dau emrallt yn y gwyll.

"Esbonia i wedyn," meddai Gili Dŵ mewn llais bach, gan edrych o'i gwmpas yn nerfus. "Tydi hi ddim yn saff i ni yma, ac unwaith daw'f nos, mi fydd hi'n befyclach byth!" Ceisiodd dynnu ei fraich yn ôl ond gwrthododd Siân ollwng ei gafael ynddo.

"Gili Dŵ," sibrydodd Cledwyn, â dagrau o ofn ar ei ruddiau gwynion. "Gwyddfid ydi enw Nain."

Syllodd y tri ar ei gilydd am ennyd, y tawelwch o'u cwmpas yn drwm fel yr awyr cyn storm.

"Nain!" gwaeddodd Siân yn sydyn wrth edrych o'i chwmpas. "Nain!"

"Os cfwydfwch chi'f goedwig yma fŵan i chwilio am eich nain, welwch chi mo fofy. Ma 'nghaftfe i lai na hannef awf o fan hyn... Af ôl noson o gwsg, mi gawn ni dfafod sut mae dod o hyd iddi..."

"Ond mae 'na lais yn galw ei henw hi!" meddai Siân. "Llais pwy ydi o?"

Ysgydwodd Gili Dŵ ei ben mewn anobaith. "'Dych chi'n dod o fyd ffesymol, lle mae petha'n gneud synnwyf..."

"Gili Dŵ!" meddai Siân yn uchel, yn ei thymer yn fwy na'i hofn.

"Newch chi mo 'nghoelio i. Mi fyddwch chi'n meddwl 'mod i'n wallgo bost," sibrydodd Gili Dŵ. "Ond llais y goedwig oedd hwnna."

"Be?" meddai Cledwyn yn wantan.

"Y goedwig sy'n galw af eich nain. Tydi hi ddim isho i chi adael." Edrychodd Gili Dŵ o'i gwmpas yn nerfus. "Os gfwydfwch chi oddi af y llwybf, wel, dyna fo wedyn. Byddwch chi af goll yn y goedwig tan i chi fafw o newyn. Neu ofn."

Edrychodd Siân ar Cledwyn. Roedd ei wyneb yn wyn fel y galchen a syllai i fyny arni gydag arswyd yn llenwi'i lygaid.

"Be wyt ti'n feddwl?" gofynnodd Siân.

Edrychodd Cledwyn o'i gwmpas. "Tydw i ddim isho aros yma." Llyncodd ei boer a cheisio bod yn ddewr. "Ond tydw i ddim isho gadael Nain yma chwaith."

"Tydi hi ddim yma!" erfyniodd Gili Dŵ'n ddistaw. "Y coed sy'n eich hefian chi... Ma nhw wedi clywed sibfydion yn bafod ei bod hi yma, ac ma nhw'n gwybod pam eich bod chi wedi'i dilyn!"

"Cled," meddai Siân ar ôl ystyried. "Dwi'n meddwl bod rhaid i ni ymddiried yn Gili Dŵ. Dyna'r unig obaith sy ganddon ni o ffindio Nain." Ochneidiodd Gili Dŵ a thynnu ar eu dwylo, er mwyn i'r tri barhau ar eu taith.

Cerddodd y tri mewn tawelwch, gan frysio i adael y goedwig. Roedd Cledwyn bron â drysu. Roedd o'n methu'n lân â chael gwared ar yr atgof o'r llais plentynnaidd yn canu "Gw-ydd-fid" trwy'r coed. Gwyddai y byddai'r llais hwnnw'n aros yn ei hunllefau am amser hir. Teimlai'n ofnadwy o flinedig, ei draed yn brifo mwy a mwy gyda phob cam. Ac roedd o'n llwgu! Mi fyddai o wedi gwneud unrhyw beth am fag o tsips llawn halen a finag o siop tsips Aberdyfi.

Ymhen deg munud, roedd y tri wedi cyrraedd pen draw'r goedwig a throed y mynydd. Wrth gamu oddi ar y carped o binwydd pigog a cherdded drwy'r glaswellt hir meddal, teimlai'r plant belydrau olaf yr haul yn cynhesu eu cyrff blinedig. O'u blaenau roedd degau o fryniau bychain – prin y gellid eu galw'n fryniau o gwbl – a thu ôl i'r rheiny roedd mynyddoedd mawr creigiog yn sefyll fel cewri.

Ding-dong! Ding-dong!

Edrychodd Cledwyn i fyny i weld a oedd Siân neu Gili Dŵ wedi clywed y clychau'r tro hwn. Roedd y ddau'n dal i gerdded, a golwg flinedig ar eu hwynebau. Doedden nhw ddim wedi clywed smic. Dilynodd Cledwyn hwy, gan osgoi yngan gair am y clychau. Roedd ganddo ddigon o bethau i'w hystyried heb feddwl am glychau – clychau na fedrai neb eu clywed ond y fo.

"Bfysiwch," meddai Gili Dŵ, gan godi'i lais yn uwch gan eu bod nhw wedi gadael y goedwig. "Mae'n ffaid i ni gyfaedd y tŷ cyn iddi nosi!"

Roedd yr haul eisoes yn dechrau machlud, a'r awyr yn binc fel rhosod yn blodeuo. Teimlai Cledwyn ei ofn yn pylu. Roedd y lle'n dal yn ddieithr a byddai'r lleisiau a'r cysgodion yn aros yn nyfnderau tywyll ei gof am byth, ond roedd cael gweld goleuni a chlywed hymian y pryfaid a chân yr adar yn gysur mawr iddo. Brasgamodd drwy'r glaswellt gan bellhau oddi wrth y goedwig. Meddyliodd iddo glywed chwerthin plentynnaidd yn dod o gyfeiriad y coed, ond wedi edrych yn ôl, doedd dim byd i'w weld ond bonion trwchus y coed, yn sefyll yn stond fel cerrig beddi. Trodd Cledwyn ei gefn ar y goedwig, a dilyn ei chwaer a Gili Dŵ ar hyd y llwybr bach caregog. Ymhen dim, roedd y llwybr wedi'u harwain i bant bach clyd rhwng y bryniau, lle safai cartref Gili Dŵ: 'Pendramwnwgl'.

Safai'r tŷ cerrig rhwng dwy goeden dal. Ar un o'r coed roedd enw'r tŷ, 'Pendramwnwgl', wedi'i baentio'n flêr ar y boncyff.

Roedd ffenest fudr bob ochr i'r drws derw trwm. Edrychai'r tŷ hwn fel y lle mwya cyfforddus yn y byd i Siân a Cledwyn. Roedd eu traed noeth yn goch a phoenus ac wrth i'r haul suddo'n bellach y tu ôl i'r mynyddoedd, teimlent yr oerni o dan orchudd tenau eu dillad nos.

Dwy ystafell yn unig oedd ym Mhendramwnwgl. Wrth i Gili Dŵ dynnu'r drws yn agored, daeth chwa o lwch i groesawu'r plant.

Roedd y tŷ'n dywyll a myglyd, ond ymhen eiliadau roedd Gili Dŵ wedi goleuo canhwyllau ac wrthi'n hwylio tanllwyth o dân. Caeodd Cledwyn y drws y tu ôl iddo, ac eistedd wrth fwrdd mawr o lechen biws. Gorchuddiai crafiadau dwfn bob modfedd ohono. Roedd nodiadau blêr wedi'u crafu ar yr wyneb: "Paid ag yfed yn syth allan o'r tebot"; "Tydi blew cynffon ceffyl ddim yn gwella blas cawl"; "Rhaid i ti newid dy sanau bob mis". Roedd y bwrdd yn frith o nodiadau bach od Gili Dŵ.

Cerddodd Siân o gwmpas yr ystafell, yn busnesu ym mhob twll a chornel. Er mor flêr a budr ydoedd, eto i gyd roedd Pendramwnwgl yn dŷ bach del. Bob ochr i'r lle tân roedd cypyrddau pren a dresel anferthol yn gorchuddio un wal. Roedd y lle tân yn anferthol, gyda chrochan mawr yn hongian uwch ei ben. O gwmpas y stafell roedd nifer o gadeiriau esmwyth, pob un yn frith o staeniau bwyd a mwd.

"Mae'n siŵf eich bod chi af lwgu. 'Sa chi 'di dwâd yma neithiwf, 'sa chi 'di cael cawl gwaif. Ond chadwais i ddim ohono fo... Do'n i ddim yn gwybod eich bod chi'n dod! Lwcus 'mod i mof dwt, ynte! Wyddoch chi be dwi'n ei ddeud – tŷ glân, calon lân'," meddai Gili Dŵ, gan sychu parddu'r lle tân oddi ar ei ddwylo ar un o'r cadeiriau. Cilwenodd Cledwyn a Siân ar ei gilydd. Roedd y ddau ar lwgu. Doedden nhw heb gael dim i'w fwyta ers amser swper y noson cynt. Diwrnod cyfan heb fwyd, er ei bod hi'n teimlo fel wythnosau maith ers iddyn nhw fod yn gorwedd yn gynnes a chlyd yn eu gwlâu yn Aberdyfi.

Gwyliodd Cledwyn Gili Dŵ'n diflannu i mewn i'r ddresel, a dychmygodd pa ddanteithion y byddai'n eu canfod yno. Dychmygodd gyw iâr wedi'i rostio a thatws newydd, selsig tewion a grefi trwchus, a threiffl hufennog a hufen iâ. Roedd ei geg yn dyfrio wrth i Gili Dŵ chwilota'n ddyfal am fwyd i'w westeion.

Roedd y bara caled a'r caws gwyrdd yn gymaint o siom i Cledwyn, bu bron iddo grio. Edrychai Gili Dŵ'n llawn cywilydd wrth weld gwyneb siomedig Cledwyn, a gostyngodd ei ben.

"'Sgin i'm byd gwell i'w gynnig. O'n i'n cadw'f bafa a'f caws at achlysuf afbennig."

Llanwodd Cledwyn ag euogrwydd wrth feddwl am groeso a charedigrwydd Gili Dŵ. "Na!" meddai, gan godi o'i sedd a gorfodi'i hun i wenu ar y pryd diflas oedd ar y bwrdd. "Mae hyn yn grêt!" Goleuodd wyneb Gili Dŵ wrth iddo wenu'n llawen. Roedd ei wyneb yn newid yn gyfan gwbl pan fyddai o'n gwenu, ei lygaid yn crychu yn y corneli a'i geg yn ymestyn o glust i glust. Dechreuodd rwygo darnau o'r bara a'r caws yn dri thwmpath. Roedd o'n amlwg i Siân a Cledwyn nad oedd Gili Dŵ'n berchen ar blatiau, na chyllyll na ffyrc.

Eisteddodd y tri o gwmpas y bwrdd yn cnoi, y bara oedd mor galed â chardfwrdd a'r caws bron yn ddigon cryf i losgi eu tafodau. Cleciai'r tân yn y gornel, a dechreuodd Cledwyn a Siân ymlacio wrth wrando ar Gili Dŵ'n sgwrsio'n huawdl.

"Tydi o'm yn balas, ond mae o'n gaftfa i mi. Ac ma gin i fyw dalent afbennig, wyddoch chi, am wybod be sy'n edfach yn dda, hyd yn oed mewn lle mof fach. Wel, i be fyswn i isho lle mwy a dim ond fi'n byw yma? Mae o'n dŷ bach feit glyd, 'dach chi ddim yn meddwl? W, sbiwch golwg afnach chi, 'dach chi'n edfych fel tasach chi af fin syfthio i gysgu! Diwfnod mawf i chi, ynte. Ma 'na lawef un 'di mafw dan dfaed yf Abafimon, a cael a chael oedd hi i'ch ca'l chi allan o'u ffofdd nhw, i ddweud y gwif! Dfuan ohonyn nhw, ddweda i... Does ganddyn nhw ddim syniad be sy'n dda a be sy'n ddfwg."

"Does bosib dy fod ti'n amddiffyn yr hen bethau cas yna?" meddai Siân, yn syllu arno dros y bwrdd. "Bu bron iddyn nhw â'n lladd ni!"

"Gêm ydi o iddyn nhw. Ŵyf yr Abafimon ddim 'u bod nhw'n bfifo neb."

Eisteddai'r tri yng ngwres y tân, y gwreichion yn tasgu ar y llawr o lechi budr fel tân gwyllt. Roedd y bwyd anniddorol wedi llenwi boliau Cledwyn a Siân, a dim ond ychydig o'r bara a'r caws oedd ar ôl. Gwnâi'r gwres, a lanwai'r bwthyn, i lygaid Cledwyn deimlo'n gysglyd ac anadlai'n ddwfn, ond doedd Siân ddim yn barod i gysgu.

"Lle ydan ni?" gofynnodd Siân yn sydyn, ei llygaid wedi'u hoelio ar Gili Dŵ.

Wrth iddo ateb, llanwodd lais uchel Gili Dŵ y bwthyn bach, a gwrandawodd y plant yn astud ar bob gair.

"Fydan ni'n galw'f wlad yma yn Cfug."

"Cfug?" gofynnodd Siân.

"Naci, Cfug!"

"O. Crug," ebe Siân, a'i hwyneb yn cochi am na lwyddodd i'w ddeall y tro cyntaf.

"Does 'na neb yn gwybod pa mof fawf ydi Cfug, na fawf o'i

hanes. Does 'na neb yn cael eu geni yma... Fydyn ni i gyd yn ymddangos un diwfnod, ac yna'n afos tan y diwfnod y byddwn ni'n diflannu."

Llyncodd Cledwyn ei boer yn betrus. Roedd Crug yn amlwg yn wlad anferthol, heb ffiniau – neu o leiaf ni wyddai neb am eu bodolaeth. Byddai dod o hyd i'w nain yn dasg anodd iawn.

"Mae'ch byd chi'n saff ac yn llawn cafedigfwydd. Mae 'na ambell i befson dfwg, ac ambell i ddigwyddiad tfist. Ond yn fan hyn, mae pefygl o gwmpas pob cofnel. Mae 'na gfeadufiaid yma a allai dfoi eich gwallt yn wyn mewn ofn, ac angenfilod sydd â'u pennau'n llawn tywyllwch a malais."

"Fel yr Abarimon," ebe Cledwyn yn dawel, ei flinder yn diflannu wrth iddo glywed mwy am Grug.

"Llawef, llawef gwaeth na'f Abafimon. Wneith ffeiny 'mond eich sathfu. Mae 'na bethau llawer gwaeth na mafw, wyddoch chi."

"Pam ydych chi'n aros yma 'ta?" gofynnodd Siân. "Pam na ddowch chi drwy'r dderwen i fyw yn ein byd ni?"

Ochneidiodd Gili Dŵ a rhwbiodd ei lygaid yn flinedig. Roedd wedi ofni y byddai Siân neu Cledwyn yn gofyn y cwestiwn hwnnw. "Does 'na neb o Gfug wedi gallu dianc oddi yma," meddai'n brudd. "Ychydig iawn sy'n cyffaedd o gwbl. Fel y gwyddoch chi, mae'f twnnel yn y ddefwen wedi hen ddiflannu."

"Ond... Sut awn ni adre 'ta?" gofynnodd Cledwyn, ei galon yn curo mor drwm fel ei fod yn siŵr bod Siân a Gili Dŵ'n gallu ei chlywed.

Ochneidiodd Gili Dŵ eto. Bu distawrwydd am amser hir.

"Does gen i ddim syniad ym mhle mae dod o hyd i'ch nain, na sut y bydd yn bosib i chi fynd adfef wedyn, ond," ychwanegodd wrth weld wynebau ofnus y plant, "mae 'na fywun yng Nghfug a fydd yn gwybod yf atebion."

"Pwy?" holodd Cledwyn.

"Dos â ni atyn nhw!" ebe Siân, gan godi ar ei thraed.

Ysgydwodd Gili Dŵ ei ben, gan glirio'r briwsion bara oddi ar y bwrdd efo cledr ei law. "Awn ni ddim i unlle heno. Mae angen noson o gwsg af y tfi ohonon ni, ac mae pefyglon y nos yn fwy nag y galla i eu stumogi."

"Peth cynta bore fory 'ta!" meddai Siân yn benderfynol. "Tydw i ddim yn licio gorffwys tra bo Nain yn..."

"Os oes 'na fywbeth yn mynd i ddigwydd i'ch nain, mi fydd o wedi digwydd efbyn hyn," torrodd Gili Dŵ ar draws Siân.

"Pwy ydi'r creadur 'ma? Yr un fydd yn gwybod sut i ddod o hyd i Nain?" gofynnodd Cledwyn yn betrus. Er bod ganddo ofn be fyddai'r ateb, ymresymodd y byddai'n well cael gwybod rŵan na throi a throsi drwy'r nos yn trio dyfalu pa fwystfil oedd yn eu haros drannoeth.

Ochneidiodd Gili Dŵ eto. Roedd Cledwyn yn teimlo'n euog am achosi cymaint o boen meddwl i'r creadur druan.

"Fydd hi ddim yn hawdd," meddai, gan grafu ei ben moel. "Go bfin y down o hyd iddo o gwbl, a deud y gwif. Mae Cfug yn wlad mof fawf!"

"Mi fyddan ni'n iawn efo ti," ebe Cledwyn, gan wenu i guddio'i nerfusrwydd. Ond ysgydwodd Gili Dŵ ei ben.

"Tydw i'n nabod dim bfon af yf afdal honno. Tydw i efioed wedi bod yno ac mi foeddwn i'n gobeithio na fyddwn i byth yn gof-fod mynd yno!"

Bu seibiant hir. Edrychodd Cledwyn a Siân ar ei gilydd.

"Wel?" meddai Siân o'r diwedd.

Siaradodd Gili Dŵ'n bwyllog, ei lygaid wedi'u hoelio ar y bwrdd bwyd. "I fyny un o'f bfyniau, tua hannef ffofdd i fyny at y copa, mae afon fechan, afon sy'n canu fel lleisiau pan mae'n llifo. Wfth yf afon, mae 'na was y neidf yn byw."

"Gwas y neidr? 'Sgin i'm ofn rheiny!" meddai Cledwyn yn uchel, y rhyddhad yn amlwg ar ei wyneb.

"Mae'n ffaid ei alw fo tfwy ddweud ffyw eifiau afbennig... Gadewch i mi gofio... O, ia, dyna fo... 'Defe yma i godi 'nghalon, defe, Gwachell, at yf afon'. Wedyn, pan ddaw'f gwas y neidf, ffaid ei ddal o," eglurodd Gili Dŵ. "Ac yna, af ôl cael ei ddal ffwng cledfau'f dwylo, mi fydd o'n tfoi'n ddyn. Gwachell. Mae Gwachell yn gymefiad go od. Ond yn ofnadwy o wybodus. 'Falla y bydd ganddo fo syniad sut i ddod o hyd i'ch nain."

"Dyn?" gofynnodd Cledwyn. "Person? Fel Siân a fi?"

Gwenodd Gili Dŵ. "Wyddoch chi, tydach chi ddim mof wahanol i dfigolion Cfug."

"O, diolch yn fawr!" ebe Siân yn goeglyd. "Fel yr Abarimon, neu'r ysbrydion yn y goedwig?"

Ysgydwodd Gili Dŵ ei ben. "Tydach chi'n coelio mewn dim byd heblaw y petha sy'n gneud synnwyf. Ac mi fydach chi'n chwilio am feswm dfos bob dim; pam bod y gwynt yn chwythu, pam bod 'na lanw a thfai? Y gwif ydi, does 'na ddim ffeswm dfos bob dim, a tydi pob dim ddim yn gwneud synnwyf." Syllodd Gili Dŵ i fyw llygaid Cledwyn. "Mae 'na gymaint fedfach chi neud efo'ch dychymyg, ond dydach chi ddim yn gwneud defnydd ohono fo."

"Paid â bod yn wirion!" meddai Siân yn ymosodol. "Mae'n byd ni ganwaith gwell na'r twll yma! O leia does dim rhaid i ni fod ag ofn bob tro 'dan ni'n camu trwy'n drysau!"

Gwelai Cledwyn fod ei chwaer wedi gwylltio a bod llygaid Gili Dŵ'n lledu fwyfwy wrth i'w llais godi hyd yn oed yn uwch. "A be wyt ti'n gwybod am ein byd ni, beth bynnag? Fuest ti rioed yno dy hun?"

Cerddodd Gili Dŵ'n araf at y tân a syllu'n fyfyriol i berfeddion y fflamau, ei feddwl ymhell, bell i ffwrdd. "Tybed..." sibrydodd yn dawel, dawel.

"Tybed be?" gofynnodd Siân, gan deimlo braidd yn wirion am iddi ymateb mor flin tuag at y creadur caredig, druan. Wedi'r cyfan, roedd Gili Dŵ ar eu hochr nhw.

"Pan mae cfeaduf yn ymddangos yng Nghfug," atebodd Gili Dŵ, ei lygaid yn dal ymhell, "Mae o'n gwybod am eich byd chi, yn gwybod am eich pobol a'ch pethau, heb i neb of-fod dysgu dim iddyn nhw. Mae o fel... fel atgof bfeuddwyd, sy'n diflannu fel mwg wfth i chi dfio'i chofio hi ac yn llithfo dfwy'ch dwylo..."

Heb wybod yn iawn pam, aeth ias oer i lawr asgwrn cefn Cledwyn. Bu seibiant hir yn y bwthyn.

Yn sydyn, fel petai wedi deffro, trodd Gili Dŵ at y plant a gwên fach ar ei wyneb crychlyd. "Amsef gwely!" meddai, gan agor un o'r cypyrddau pren wrth ochr y lle tân. Rhyfeddodd Cledwyn wrth weld bod y tu mewn i'r cwpwrdd yn fawr ac yn llydan, a bod ei lawr wedi'i orchuddio â hen flancedi a ffwr. Roedd y cwpwrdd yn wely! Dringodd Cledwyn i blith y blancedi a gorwedd yn eu canol, gan fwynhau'r esmwythder oddi tano. Arhosodd Siân yn ei hunfan, yn syllu ar Gili Dŵ. Gallai Cledwyn weld y ddau o'i wely bach clyd.

"Lle wnei di gysgu?" gofynnodd Siân, mewn llais addfwyn a charedig.

Agorodd Gili Dŵ y drws yr ochr arall i'r lle tân; roedd gwely arall yno, un llawer llai ond yn edrych yn ddigon clyd. Bu mymryn o seibiant.

"Mae'n ddrwg gen i am weiddi," meddai Siân. "Toeddwn i ddim wedi bwriadu gwylltio. Mae heddiw wedi bod yn ddiwrnod rhyfedd. Rydw i'n dal yn disgwyl y bydda i'n deffro yn fy ngwely yn Aberdyfi unrhyw funud."

Gwenodd Gili Dŵ. "Paid â phoeni. Mae o'n hawdd i mi anghofio faint o newid fwyt ti a Cledwyn wedi'i weld heddiw. Fydw i'n synnu eich bod chi heb lewygu mewn ofn."

Gwenodd Siân yn wan. "Gili Dŵ... Wyt ti'n meddwl y bydd Nain yn iawn?"

Edrychodd Gili Dŵ ar y llawr. "Mae 'na feswm pam bod pobol yn dod i Gfug, a does dim llawef yn gadael..."

Syllodd Siân ar ei thraed a cheisio llyncu ei dagrau; gadawodd Cledwyn i ddeigryn bychan ddianc o'i lygaid yntau. Dychmygodd ei nain, ar goll mewn gwlad ddiarth yng nghrombil y nos.

"Mae eich nain yn lwcus iawn o'ch cael chi," ebe Gili Dŵ'n dawel. "Fydach chi'n ofnadwy o ddewf."

Doedd Cledwyn ddim yn teimlo'n ddewr o gwbl. Roedd o wedi treulio'r diwrnod cyfan mewn ofn.

"Mi gawn ni hyd iddi, cewch chi weld. Ond mae'n ffaid i chi gael cwsg yn gyntaf! Ewch chi ddim ymhell a chithau'n flinedig."

"Nos da," meddai Siân cyn dringo i mewn i'r cwpwrdd a gorwedd wrth ymyl ei brawd. Clywodd Cledwyn sŵn Gili Dŵ'n dringo i mewn i'r cwpwrdd arall.

Er bod y tri wedi blino'n lân, aeth yr un ohonyn nhw i gysgu'n syth. Gorweddent yn eu gwlâu clyd, yn gwrando ar y tân yn clecian gerllaw. Roedd meddwl Cledwyn yn rasio, ac er bod ei lygaid yn brifo o flinder, allai o ddim cysgu. Bob tro byddai o'n cau ei lygaid, y cyfan y gallai ei weld oedd yr Abarimon, a'r cysgodion yn symud rhwng y bonion tywyll yn y goedwig. Gorweddodd yn effro am amser hir. Syllai Siân wrth ei ymyl yn freuddwydiol ar y to.

"Siân? Cledwyn?" Daeth llais Gili Dŵ o ochr arall y lle tân. "Ydych chi'n dal yn eff-fo?"

"Ydan," atebodd Cledwyn. Tybed beth oedd yn cadw Gili Dŵ'n effro heno.

"Ga i ofyn cwestiwn i chi?" gofynnodd yn araf.

"Wrth gwrs," ebe Siân gan ddylyfu gên.

"Gobeithio eich bod chi ddim yn meindio 'mod i'n gofyn," meddai Gili Dŵ'n araf. "Meddwl oeddwn i, pam eich bod chi'n byw efo'ch nain? Be ddigwyddodd i'ch ffieni chi?"

Edrychodd Siân a Cledwyn ar ei gilydd. Teimlai Cledwyn lwmp yn ei wddf a throdd ei gefn ar Siân rhag iddi weld ei dristwch.

"Does dim ffaid i chi ateb!" meddai Gili Dŵ, wrth glywed tawelwch. "Anghofiwch 'mod i 'di gofyn!"

"Y peth ydi, Gili Dŵ," meddai Siân. "Tydan ni ddim yn gwybod lle mae Mam na Dad."

Ar nosweithiau oer yn Aberdyfi, pan fyddai'r gwynt yn ysgwyd gwydr y ffenestri, byddai Siân a Cledwyn yn eistedd ar wely Cledwyn, yn sgwrsio tan yr oriau mân. Byddai'r sgwrs yn gallu cychwyn unrhywle – trafod llyfr, er enghraifft, neu hel straeon am beth oedd yn digwydd yn yr ysgol – ond byddai pob sgwrs yn diweddu yn yr un lle. Roedd y ddau wrth eu boddau'n dychmygu sut rai oedd eu rhieni.

Doedd dim cof gan 'run o'r ddau am fam na thad, a doedd dim lluniau ohonyn nhw o gwmpas yr hen dŷ yn Aberdyfi. Gofynnai'r ddau'n aml i'w nain ble roedd eu rhieni, ond bob tro y byddai rhywun yn crybwyll y pwnc, llenwai ei llygaid mawr â dagrau ac mi fyddai'n dweud, "Druan ohonoch chi. Mi gewch wybod yr hanes i gyd ryw ddiwrnod." Teimlai Cledwyn a Siân yn euog wedyn. Doedden nhw ddim hyd yn oed yn gwybod enwau eu rhieni.

Pan fyddai'r ddau ar eu pennau'u hunain, byddai'r trafod a'r dyfalu'n parhau am oriau. Roedden nhw'n dychmygu bod eu mam yn ddynes dal, osgeiddig a thywyll, a'u tad yn denau a phengoch. Credai Siân ei bod hi'n sicr i'r ddau gael eu lladd mewn damwain, ond daliai Cledwyn yn y gobaith fod y ddau'n fyw yn rhywle. Byddai'r trafod yn parhau am oriau maith, ac ar y nosweithiau hynny âi Cledwyn i'w wely â'r hiraeth yn ei lethu. Ambell waith, pan fyddai o wedi digio, mi wylltiai oherwydd annhegwch y sefyllfa. Pam bod pawb arall yn cael byw efo'u rhieni ond nid fo a Siân? Dro arall, pan fyddai Siân yn crybwyll eu mam a'u tad, gwnâi Cledwyn esgusodion a dechrau sôn am rywbeth arall. Câi ei frifo cymaint wrth feddwl bod eu rhieni wedi'u gadael.

Wedi i Siân esbonio'r cyfan wrth Gili Dŵ, cafwyd tawelwch hir. Cyrliodd Cledwyn yn belen fach o dan y blancedi.

"Dfuan ohonach chi," meddai Gili Dŵ o'r diwedd, ei lais yn isel a phrudd. "Fydach chitha'n gwbod be ydy tfistwch hefyd, yn tydach?"

Ymhen ychydig, clywodd Cledwyn anadl ei chwaer yn trymhau wrth iddi syrthio i gysgu. Clywodd sŵn chwyrnu'n dod o ochr arall i'r lle tân: roedd Gili Dŵ'n cysgu hefyd. Edrychodd Cledwyn ar wyneb heddychlon ei chwaer, a diolchodd fod ganddo ffrind mor driw. Teimlo'n ofnus neu'n flinedig a wnaeth o drwy'r dydd, ond roedd hi wedi gwynebu'r wlad newydd, od yma gyda'i hegni arferol. Addawodd Cledwyn iddo'i hun na fyddai'n gymaint o lwfrgi yfory: dod o hyd i Nain oedd y peth pwysig.

Wrth i Cledwyn syrthio i gysgu yn y bwthyn bach, meddyliodd am hanner eiliad iddo glywed llais yn galw ei enw'n ysgafn, ysgafn yn nhywyllwch y nos. Dychmygu wyt ti, meddai Cledwyn wrtho'i hun cyn syrthio i drwmgwsg.

"Na, na, na, na! Dwi ddim am wisgo hwnna. Byth!" Plethodd Siân ei breichiau a gwgu'n benderfynol.

Disgleiriai'r haul i mewn drwy ffenestri budron Pendramwnwgl. Ar ôl noson dda o gwsg a brecwast diddorol ond afiach o ddanadl poethion mewn saws morgrug – "Mae'f mofgfug yn ffoi ffyw gfenshan neis i'f pfyd, 'dach chi ddim yn meddwl?" – roedd Siân, Cledwyn a Gili Dŵ'n barod i wynebu diwrnod llawn antur yng Nghrug. Ar ôl bwyta, mynnodd Gili Dŵ fod Siân a Cledwyn yn gwisgo dillad mwy addas ar gyfer eu taith, ac aeth i chwilio yng nghrombil y ddresel. Daeth yn ôl mewn ychydig funudau â chrys a throwsus i Cledwyn, yn ogystal â dau bâr o slipars i Siân a Cledwyn wedi'u gwneud o fwsog, ond â gwadnau trwchus.

Roedd y dillad wedi'u gwneud o ddail, pob un wedi'i gwnïo'n ofalus wrth ei gilydd ac yn ffitio Cledwyn yn berffaith dros ei byjamas cotwm – er na fyddai o'n cyfaddef wrth neb, teimlai'n eithaf smart a chyffforddus. Gan fod pob deilen yn dod o goeden wahanol, amrywiai'r lliwiau o wyrdd tywyll fel mwsog i wyrdd golau hafaidd.

"Lliw ffasiynol iawn, Cled, ac mae'f gwyfdd golau 'na'n gwneud i ti edfych yn feit aeddfed, os ca i ddweud."

Yn anffodus, doedd Siân ddim mor hapus gyda'i dilledyn newydd hi. Byddai'r rhan fwyaf o ferched wrth eu boddau'n cael gwisgo'r ffrog laes a wnaed o betalau blodau. Crewyd pob modfedd o'r wisg laes o betalau meddal amryliw. Roedd hi fel ffrog i dywysoges, yn harddach nag unrhyw ddilledyn a welsai

Cledwyn erioed cyn hynny. Atgoffai'r ffrog o am hen straeon tylwyth teg ei nain yn Aberdyfi.

"Tydw i ddim yn mynd i'w gwisgo hi," meddai Siân yn bendant. "Mi fyddai'n well gen i gael dillad tebyg i'r hyn mae Cledwyn yn eu gwisgo. Oes 'na ragor o ddillad fel 'na, Gili Dŵ?"

Ysgydwodd Gili Dŵ ei ben. "Foedd y dillad yma pan symudais i i Bendfamwnwgl, ac mi gedwais i nhw yng nghefn y dfesel ffag ofn. Wel, 'dach chi byth yn gwybod pfyd byddwch chi angen gwisg laes wedi'i gwneud o betalau, nac ydach? Mae hi'n beth defnyddiol i'w chael o gwmpas y tŷ. Mi fyddwch chi'n bictiwf yn honna, Siân. Gwisgwch hi amdanoch i ni gael gweld!"

"Sut ydw i fod i gerdded mynyddoedd mewn ffrog mor laes? Mi fydda i'n baglu dros y defnydd o hyd!"

"Wel, fedri di ddim mynd yn dy goban," meddai Cledwyn yn rhesymol. "O leia byddi di'n gynnes yn y ffrog yna. Brysia Siân! 'Dan ni isho dechrau chwilio am Nain!" Gwyddai Cledwyn y byddai sôn am Nain yn lleddfu barn Siân am y dillad.

Cymerodd Siân y ffrog a'i gosod yn fflat ar lawr y bwthyn. Aeth i nôl cyllell finiog oddi ar fwrdd y gegin a phenliniodd wrth y ffrog. Yn araf bach, tynnodd lafn y gyllell ar hyd y petalau meddal, gan dorri dwy droedfedd oddi ar waelod y ffrog. Ar ôl iddi orffen, tynnodd y ffrog dros ei phen, dros ben ei choban, a gwenodd wrth weld mai cyrraedd at ei phengliniau roedd y goban yn hytrach na llusgo ar hyd y llawr.

"Barod i fynd? gofynnodd hi i Gili Dŵ a Cledwyn.

"Clyfaf iawn," meddai Gili Dŵ wrth lygadu'r ffrog. "Mae gen ti lygad am steil, fatha fi. Mae'f hyd yna o sgeft mof ffasiynol fŵan, yntydi?"

Edrychodd Siân ar Cledwyn am ennyd, cyn gwenu.

"Well i ni ddechfau," meddai Gili Dŵ, a gadawodd y tri'r bwthyn a mynd allan i'r haul. Wedi cerdded am ychydig, trodd Gili Dŵ'n ôl ac edrych ar ei gartref. "Dim ond gobeithio y ca i weld Pendfamwnwgl eto."

Roedd yr haul yn boeth a doedd hi ddim yn hir cyn i Siân a Cledwyn ddechrau blino ar ddilyn Gili Dŵ, wrth i hwnnw ruthro o'u blaenau, dros ddegau o fryniau bychain crwn, pob un wedi'i orchuddio â glaswellt melfedaidd. Gallai Cledwyn weld creigiau llwyd mynydd mawr tywyll yn y pellter. Gan fod y mynydd mor serth, gweddïai Cledwyn na fyddai angen iddyn nhw ei ddringo, ond wedi cyrraedd troed y mynydd, dechreuodd Gili Dŵ ddringo'r ochrau serth. Roedd y mynydd mor uchel fel na allai Cledwyn weld y copa, ond dilynodd Gili Dŵ beth bynnag, heb ddweud 'run gair. Doedd dim math o lwybr o gwbl, a gallai Cledwyn deimlo'r cerrig mân drwy wadnau tenau ei slipars.

Cerddodd y tri am oriau i fyny'r mynydd tywyll. Doedd neb yn dweud gair, heblaw am Gili Dŵ a fyddai'n torri ar y distawrwydd bob rhyw hanner awr, gan dynnu eu sylw a dweud bod ganddo sgarff yr un lliw'n union â'r graig 'na'n fan'cw, neu cwyno bod yr haul crasboeth yn crychu ei groen. Roedd Siân a Cledwyn yn rhy fyr o anadl i sgwrsio.

Cerddodd y tri heb orffwys am ddwyawr cyn cyrraedd y copa. Erbyn hynny roedden nhw mor uchel, fel y bu'n rhaid iddyn nhw basio drwy'r cymylau a chodi uwch eu pennau. Wrth edrych i lawr, ni allai Cledwyn weld dim oddi tanynt heblaw am y flanced drwchus o gymylau a orchuddiai'r byd fel gwlân cotwm. Roedd yn deimlad od i godi uwchben y byd fel hyn gyda'r awyr uwch eu pennau yn las di-dor, a'r haul yn grasboeth. Teimlai Cledwyn mor ddiolchgar eu bod wedi cyrraedd y copa ac y caen nhw, felly, gerdded i lawr y mynydd yr ochr draw. Brifai bob cyhyr yn ei gorff.

"Diolch byth," gwenodd Siân wrth gyrraedd y copa – yn falch na fyddai angen iddi ddringo rhagor.

Ond wedi iddyn nhw gyrraedd y copa, syllodd y tri dros yr olygfa annisgwyl o'u blaenau – milltiroedd ar filltiroedd o dir fflat yn ymestyn yr holl ffordd at y gorwel. Doedd dim bywyd i'w weld yn unman – dim planhigion nac anifeiliaid, na sŵn adar bach yn canu – dim ond creigiau anferthol, eu hwynebau'n llyfn a fflat yn y tir anial. Roedd tyllau rhwng y creigiau, a'r rheiny'n ddwfn a thywyll. Y tyllau hynny a godai ofn ar Cledwyn, ac yntau heb syniad beth allai fod yn llechu y tu mewn iddyn nhw.

"Diddofol," meddai Gili Dŵ, gan grafu ei ben yn feddylgar. "Anaf-fefol iawn, cael copa mynydd yn ymestyn fel hyn. O leia 'dan ni af dif fflat efbyn hyn." Dechreuodd lamu o graig i graig. "Mae 'nhfaed i'n dechfa bfifo. 'Swn i wfth 'y modd efo bwcad o ddŵf poeth fŵan, i gael tfochi bodia 'nhfaed. Byswn wif."

Edrychodd Cledwyn ar ei chwaer ac ochneidio'n uchel. "Mae o mor bell, Siân."

"Yndi," cytunodd Siân. "Ac ma 'nhraed inna'n brifo hefyd. Ond ma'n rhaid i ni, 'yn does, er mwyn Nain." Ochneidiodd Cledwyn wrth iddo neidio o graig i graig. Roedd o'n benderfynol o beidio â bod yn gwynfanllyd.

Doedd Cledwyn ddim wedi mwynhau dringo'r mynydd serth na'r profiad o ddioddef y cerrig bach trwy wadnau ei slipars. Roedd cerdded ar y creigiau'n dipyn haws, gan fod yr wyneb yn llyfn a gwastad. Ond teimlai Cledwyn yn eithaf anghyfforddus yma. Roedd pob man mor dawel, heb gân adar na siffrwd awel. Roedd arno ofn wrth neidio dros y gwagle rhwng y creigiau gan fod y tyllau mor dywyll, ac er bod yr haul yn disgleirio uwch eu pennau, doedd dim posib gweld y gwaelodion. Ceisiodd Cledwyn beidio â meddwl be ddigwyddai petai o'n disgyn i lawr un o'r tyllau, a methai â chael gwared ar y teimlad ym mêr ei esgyrn fod 'na rywbeth rhyfedd ac iasol am y lle.

Cerddodd y tri am awr a hanner arall gan neidio o graig i graig, a heb dorri gair â'i gilydd. Teimlai Cledwyn yn llwglyd. Dychmygai pa ddanteithion a ddaethai Gili Dŵ efo fo ar ei siwrnai. Doedd ganddo ddim llawer o obaith y câi unrhyw gacennau, creision na siocled, ond gobeithiai gael rhywbeth digon sylweddol er mwyn cael gwared ar y sŵn taranu yn ei fol.

"Ydi hi'n amser cael hoe fach?" gofynnodd Cledwyn, ac yntau bron â chyrraedd pen ei dennyn.

"Dwi ar lwgu," meddai Siân gan ddylyfu gên. "Mae amser cinio wedi hen basio a 'dan ni heb gael dim byd i'w fwyta. Mae fan hyn yn lle go lew i stopio." Edrychai Siân mor wahanol, yn gwisgo ffrog hardd fawreddog, er bod ei gwallt yn flêr a'i thraed yn fudr.

"Awf fach afall o gefdded," ebe Gili Dŵ, gan ddal i neidio o graig i graig. "Dipyn bach ymhellach, ac mi gawn ni of-ffwys wedyn."

Ochneidiodd Cledwyn wrth gamu o graig i graig. Dylyfodd Siân ei gên cyn dilyn.

Roedd hi bron ddwyawr yn ddiweddarach pan stopiodd Cledwyn, ac eistedd ar un o'r creigiau. Roedd ei goesau'n brifo'n ofnadwy, a theimlai'n gysglyd tu hwnt. Eisteddodd Siân wrth ei ymyl, a thynnu ei slipars er mwyn rhwbio'i thraed.

"Pa mor bell rŵan, Gili Dŵ?" gofynnodd Cledwyn yn flinedig. "Tydi'r haul ddim ymhell o'r gorwel – mi fydd hi'n nos cyn bo hir. Lle 'dan ni'n mynd i gysgu?"

"Tipyn bach pellach," meddai Gili Dŵ. "Mymfyn bach, wif yf..."

"Na," meddai Siân yn bendant. "Chwarae teg, 'dan ni wedi cerdded am o leia chwe awr, heb seibiant na 'run tamad i'w fwyta. Ma Cledwyn yn iawn, mae'r haul ar fin machlud a wela i 'run lloches yn nunlle. Lle 'dan ni am gysgu heno 'ma?"

Gwenodd Gili Dŵ'n nerfus. "Mi fydd o'n hwyl, cewch chi weld. Fel gwefsylla. Ac o leia 'di hi ddim yn bwfw!"

Ysgydwodd Siân ei phen yn araf ac agorodd Cledwyn ei geg mewn syndod. Doedd bosib bod Gili Dŵ'n meddwl...

"Dwi'n eitha edfych ymlaen, a dweud y gwif," meddai Gili Dŵ, er nad oedd o'n edrych yn frwdfrydig o gwbl.

"Dwyt ti ddim o ddifri," meddai Siân yn dawel. Roedd y ffaith fod Siân yn siarad yn dawel yn arwydd drwg, meddyliodd Cledwyn – arwydd ei bod hi wedi gwylltio go iawn.

"Antuf! Cysgu o dan y sêf... Wfth gwfs, tydw i 'fioed wedi gwneud hyn o'f blaen, ond mi fydda i'n siŵf o fwynhau..."

"Cysgu yn fan hyn? Drwy'r nos?" gofynnodd Siân. Meddyliodd Cledwyn am y blancedi meddal ar y gwely mewn cwpwrdd ym Mhendramwnwgl, neu, gwell fyth, ei wely bach ei hun yn Aberdyfi. Fyddai'r graig ddim yn gyffordddus o gwbl.

"Mi ddwedaist ti neithiwr nad ydi Crug yn saff yn ystod y nos." Rhythodd Siân yn gyhuddgar ar Gili Dŵ. "Fedrwn ni ddim bod allan drwy'r nos os oes 'na hen bethau peryglus o gwmpas!"

"Fydd 'na ddim cfeadur byw yn dod i fan hyn, siŵf," meddai Gili Dŵ, a'i wyneb bach yn edrych mor nerfus. Er iddo wneud peth gwirion yn eu harwain nhw yma, ni allai Cledwyn lai na pheidio â theimlo trueni dros y creadur bach.

"Tydw i ddim yn eu beio nhw!" cododd Siân ei llais gan beri i Cledwyn neidio. "Pwy fysa isho dod i le mor... mor... uffernol â fan hyn!" Trodd Siân i orwedd ar ei bol, a phlannu ei phen yn ei dwylo. Bu seibiant hir. Edrychodd Cledwyn a Gili Dŵ ar ei gilydd yn betrus.

"Ym... Siân?" meddai Cledwyn yn araf. "Bydd popeth yn siŵr o fod yn iawn yn y diwedd, wsti." Doedd o ddim yn coelio gair o'r hyn a ddywedodd, ond roedd o'n ysu am geisio cael ei chwaer i deimlo'n well. "Does 'na ddim isho poeni, siŵr! Mae Gili Dŵ'n ein harwain ni at Nain! Mae o'n gwybod yn iawn lle 'dan ni'n mynd! 'Yn dwyt, Gili Dŵ?"

Yn lle cytuno'n frwd fel y disgwyliai Cledwyn iddo wneud, safodd Gili Dŵ'n dawel ac edrych ar y llawr.

"Gili Dŵ?" gofynnodd Cledwyn yn dawel, a'i galon yn suddo wrth weld gwyneb y creadur bach.

"Falla 'mod i ddim yn gwybod gant y cant am yf union le fydan ni af hyn o bfyd," meddai Gili Dŵ'n araf. Gallai Cledwyn weld bod ei lygaid mawr yn llenwi â dagrau. "Tydw i 'fioed wedi bod mof bell â hyn oddi caftfef. Rydw i wedi clywed am yf afdal yma, ond doedd gen i ddim syniad bod y lle mof bell."

Edrychodd Gili Dŵ ar Siân, yn dal i orwedd ar ei bol a'i phen yn ei dwylo. Dechreuodd feichio crio. Roedd o'n crio cymaint fel bod afon fechan o ddagrau'n llifo i lawr ei gorff pitw ac yn ymlwybro'i ffordd at y graig oddi tano. Edrychodd Cledwyn arno, ac wedyn ar Siân, a sylweddoli mai fo oedd yr unig un nad oedd yn crio. Cliriodd ei lwnc yn dawel.

"Bydd pob dim yn iawn, cewch chi weld," meddai Cledwyn, mewn ymgais i drio codi eu calonnau. Doedd dim ymateb gan yr un ohonyn nhw. "Ar ôl swper, mi gawn ni noson go lew o gwsg ac mi fydd popeth yn edrych yn well yn y bore."

"Swpef?" gofynnodd Gili Dŵ drwy ei ddagrau. " O ble gawn ni fwyd yn yf anialwch yma? Mi fyddwn ni'n lwcus i ddod o hyd i bfy clust i fannu ffwng y tfi ohonon ni!"

Dechreuodd calon Cledwyn guro'n gyflymach. "Ddoist ti ddim â bwyd efo ti, Gili Dŵ?"

"Naddo siŵf! Mae'n befyg cafio bwyd yng Nghfug." Roedd dwy afon o lysnafedd gwyrdd yn llifo o dan drwyn Gili Dŵ. "Mae hen gfeadufiaid o gwmpas fyddai'n gallu ei ogleuo fo, ac mi fyddai hi'n ta ta afnon ni wedyn." Sychodd Gili Dŵ ei drwyn â chefn ei law. "Fo'n i'n ofalus i beidio â dod â 'fun bfiwsionyn efo fi."

Safodd Cledwyn yn stond, a'i galon yn plymio i'w slipars. Heb fwyd na gwely, doedd ganddyn nhw ddim gobaith gadael yr ardal greigiog yma'n fyw. Heb fwyd, fyddai ganddyn nhw mo'r nerth i gerdded yr holl ffordd yn ôl i Bendramwnwgl, a doedd dim byd arall o'u cwmpas ond milltiroedd ar filltiroedd o greigiau llyfn, gwastad. Fedrai Cledwyn ddim cofio erbyn hyn o ba gyfeiriad y daethon nhw. Roedden nhw ar goll, ar goll heb obaith o ganfod eu ffordd yn ôl.

Gorweddodd Cledwyn yn ymyl ei chwaer, gan syllu ar yr awyr las uwchben. Ceisiodd ddychmygu ei fod yn gorwedd ar lan y môr yn Aberdyfi – y môr gerllaw a'i fol yn llawn. Ond er mor galed y ceisiai Cledwyn ymgolli yn ei ddychymyg, doedd y graig ddim yn ddigon cyfforddus, ddim o'i gymharu â thywod meddal y traeth. Gwnâi'r tawelwch llethol i Cledwyn ysu am glywed sgrech groch y gwylanod.

"Cled?" gofynnodd llais bach Gili Dŵ. Edrychodd Cledwyn draw at y creadur bach. Safai ar graig gyfagos, ei lygaid yn goch a dyfrllyd ac olion crio a chrio arnynt. "Fydw i wedi bod yn chwilio am bfyfaid clust, ond does 'ma ddim byd o gwbl i'w fwyta," meddai'n dawel. "Mi fysa blas unffyw beth wedi bod yn neis. Ef, mae pfyfaid clust yn blasu fel cig ceffyl wedi pydfu, a bod yn onest. Llawef o waith cnoi afyn nhw."

"Paid â phoeni," atebodd Cledwyn. "Does dim llawer o awydd bwyd arna i, a dweud y gwir." Roedd hyn yn hollol wir – roedd yr anobaith wedi gwneud iddo anghofio am ei chwant am fwyd yn gyfan gwbl.

"Mi wnes i chwilio am ddafnau o bfen hefyd, i gael gwneud tân, ond does 'na ddim byd yma o gwbl." Ysgydwodd Gili Dŵ ei ben mewn anobaith. Fydan ni am of-fod treulio heno mewn tywyllwch. Heb sôn am yf oef-fel."

"Wel, os gwnawn ni'n tri aros ar yr un graig, mi fyddwn ni'n siŵr o fod yn gynhesach. Ty'd draw fan hyn, Gili Dŵ. Rwyt titha angen gorffwys hefyd."

Safodd Gili Dŵ'n ei unfan, gan edrych ar Cledwyn trwy gil ei lygad. "Wyt ti'n siŵf?" gofynnodd yn betrus.

"Am be wyt ti'n sôn?" gofynnodd Cledwyn mewn penbleth.

"Wel," meddai Gili Dŵ, gan lygadu'r llawr. "Fydan ni'n sownd yn fa'ma tydan, heb fwyd na thân nac unffyw syniad lle fydan ni, a fy mai i ydi'f cyfan! Fo'n i'n meddwl y byddai'n weddol hawdd dod o hyd i Gwachell... Wel, mi fyddwn i'n dallt yn iawn pe baech chi isho i mi gysgu af gfaig wahanol i chi. Mae'n siŵf eich bod chi'n flin iawn efo fi!"

Ysgydwodd Cledwyn ei ben gan amneidio ar Gili Dŵ i ddod i eistedd wrth ei ymyl. Neidiodd Gili Dŵ ar y graig ac eistedd yn ymyl Cledwyn, cyn sychu ei drwyn gyda chefn ei law.

"Gili Dŵ," meddai Cledwyn wrth y creadur bach. " Mi roist ti do uwch ein pennau ni, heb sôn am ein hachub ni rhag yr Abarimon. Heb dy help di, fyddai gen i na Siân ddim syniad ble i ddechrau chwilio am Nain!"

"Fwyt ti mor gafedig," meddai Gili Dŵ, gan droi ei lygaid i edrych i fyny ar Cledwyn drwy ei lygaid mawr crwn. "Ond ma afna i ofn bod Siân wedi gwylltio go iawn." Edrychodd y ddau ar Siân, a gysgai wrth eu hymyl.

"Mi fydd Siân yn iawn, gei di weld."

"Gobeithio wif," meddai Gili Dŵ. "Fyddwn i ddim yn hoffi meddwl 'mod i wedi'ch gadael chi i lawf."

Gorweddodd Gili Dŵ ar y graig. Eisteddodd Cledwyn am ychydig yn gwylio'r awyr yn troi'n binc wrth i'r haul ddechrau diflannu y tu hwnt i'r gorwel. Ni theimlai unrhyw obaith o gwbl yn ei galon y byddai un ohonyn nhw'n medru dianc o ganol y creigiau'n fyw, ac wrth i dywyllwch y nos agosáu, dechreuodd Cledwyn ofni na welai olau dydd byth eto. Ond roedd 'na deimlad arall yn ei galon hefyd, rhyw lygedyn o heulwen a oedd yn estron i Cledwyn. Wrth iddo edrych ar Gili Dŵ'n syrthio i gysgu, sylweddolodd Cledwyn yn union beth oedd y teimlad hwnnw – y pleser o ddod o hyd i'w ffrind cyntaf erioed.

Pennod 5

MAE'N RHAID MAI breuddwyd oedd y cyfan, meddyliodd Cledwyn wrth ddeffro'n araf. Dylyfodd ei ên yn ddioglyd. Gallai glywed amryw o leisiau'n parablu'n brysur, a sŵn chwerthin a thynnu coes. Yr ymwelwyr haf ar eu ffordd i draeth Aberdyfi, meddyliodd Cledwyn. Peth rhyfedd eu bod nhw'n swnio mor agos hefyd.

Agorodd Cledwyn ei lygaid yn araf bach. Yn lle'r patrymau chwyrlïog oedd yn y plastar ar do ei lofft yn Aberdyfi, gwelai awyr las yn ymestyn yn ddigwmwl uwch ei ben. Cododd ei ben yn araf ac edrych i gyfeiriad y lleisiau. Nid breuddwyd mohoni, wedi'r cyfan. Sylweddolodd ei fod wedi cysgu'n sownd ar y graig anesmwyth drwy'r nos, a bod pethau mawr wedi digwydd tra bu'n cysgu.

Safai Siân ar ganol craig gyfagos, yn chwerthin ac yn gwenu. O'i chwmpas roedd degau o ferched tal, hardd – pob un ohonyn nhw â'u llygaid ar Siân. Roedden nhw i gyd yr un ffunud â'i gilydd, a phob un cyn hardded â'r ferch harddaf a welsai Cledwyn erioed cyn hynny. Roedd eu hwynebau'n denu sylw, eu cyrff yn fain, a'u llygaid glas yn disgleirio fel y môr. Syrthiai eu gwallt hir golau'n llyfn ac yn syth dros eu hysgwyddau, fel gwallt rhywun mewn hysbyseb siampŵ. Roedd o leiaf hanner cant ohonyn nhw, meddyliodd Cledwyn, ac yn ôl y sylw a gâi Siân, roedden nhw'n ymddangos yn garedig iawn. Tynnai un o'r merched penfelen ei bysedd ar hyd wyneb Siân, gan wneud synau edmygus, a phlethodd un arall ei bysedd yn ei gwallt tywyll. Roedd degau o geffylau ar graig gyfagos, a dwy goets fawr gaeedig o bren tywyll yn sefyll yng nghanol y ceffylau llwyd.

Gili Dŵ oedd yr unig un a safai ar wahân i'r grŵp hardd hwn. Eisteddai ar graig ar ei ben ei hun, gan bigo ewinedd ei draed cyn eu taflu nhw i'w geg a'u cnoi. Roedd yn beth rhyfedd nad oedd o'n ymuno yn y sgwrs, meddyliodd Cledwyn, ac yntau'n greadur mor gymdeithasol. Ond roedd y merched mor brydferth fel y gallen nhw wneud unrhyw un yn nerfus, ac mae'n siŵr nad oedd Gili Dŵ wedi arfer bod yng nghwmni merched mor hardd.

"Cled!" gwaeddodd Siân, wrth weld ei brawd yn codi ar ei draed. Roedd y wên ar ei hwyneb yn fwy llydan nag y bu ers tro. "'Dan ni'n saff, Cled. Mae popeth yn mynd i fod yn iawn."

Teimlai Cledwyn ei wyneb yn cochi wrth i'r holl ferched droi eu golygon tuag ato. Ceisiodd ddweud rhywbeth, ond roedd ei lais yn gryg a'i geg yn sych grimp. Tagodd yn ysgafn, gan roi ei ddwrn dros ei geg. Clywodd un o'r merched yn piffian chwerthin, a theimlai ei wyneb yn cochi fwyfwy. Edrychodd ar y merched. Roedd pob un ohonyn nhw'n syllu arno, gan aros iddo ddweud rhywbeth.

"Ym..." meddai Cledwyn, gan deimlo'n hollol dwp. "Cledwyn ydw i..."

"Ia, ia," meddai Siân yn fyrlymus. "Dwi 'di esbonio hynny iddyn nhw'n barod."

Bu tawelwch unwaith eto am ychydig eiliadau wrth i Cledwyn geisio meddwl am rywbeth clyfar a doniol i'w ddweud. Cyn iddo gael cyfle i feddwl am rywbeth, camodd un o'r merched tuag ato. Roedd hi'n union yr un fath â'r merched eraill i gyd, heblaw bod ganddi lygaid piws tywyll, fel y fioledau melfedaidd yn yr ardd yn Aberdyfi. Roedd y gwahaniaeth bach hwn yn gwneud i'r ferch ymddangos yn harddach hyd yn oed na gweddill y merched, a theimlai Cledwyn ei galon yn curo'n gyflymach wrth iddi gerdded tuag ato. Ymestynnodd y ferch ei llaw at Cledwyn. Ceisiodd Cledwyn ysgwyd ei llaw, ond chwarddodd y merched i gyd wrth iddo wneud.

"Rhowch gusan i'm llaw i, Cledwyn," meddai'r ferch mewn llais uchel a phendant. Syllai i fyw ei lygaid a fedrai Cledwyn wneud dim ond edrych yn ôl arni. Ymestynnodd am ei llaw a'i chusanu'n ddifeddwl. Difarodd yn syth na wnaeth dalu mwy o sylw i'r sws. Roedd ei wefusau'n wlyb, a gadawodd ôl poer ar gefn ei llaw. Teimlai Cledwyn yn gymaint o ffŵl. Y tro cynta erioed iddo roi sws i ferch, a hithau'n un ddel ar hynny, ac mi roedd o wedi gadael ôl ei boer ar ei llaw. Clywodd y merched yn piffian chwerthin unwaith eto.

"Arianwen ydw i. Myfi yw arweinydd y Marach."

"Y... be?" gofynnodd Cledwyn. Roedd o wedi clywed cymaint o enwau newydd yn ystod y deuddydd diwethaf.

"Marach," atebodd Arianwen, gan chwifio'i llaw i gyfeiriad y merched. "Y genethod yma sy'n peri i chi gochi."

Chwarddodd y Marach, a gwelodd Cledwyn fod Siân yn chwerthin efo nhw.

"Daethon ni ar eich traws pan oedden ni'n hela. Yn lwcus iawn i chi, rydyn ni'n awyddus i chi ddod adre gyda ni, i ganol y goedwig. Mi gewch chi fwyd, a lle cyfforddus i gysgu."

Trodd Cledwyn i edrych ar Siân, ond doedd hi ddim yn gwrando bellach. Roedd y Marach wedi'i hamgylchynu unwaith eto, ac yn brysur yn edmygu ei gwallt a'i ffrog a phopeth arall oedd amdani. Ond daliai Arianwen i syllu ar Cledwyn.

"Pam eu bod nhw'n cyffwrdd yn Siân?" gofynnodd Cledwyn.

Edrychodd Arianwen arno gan godi un o'i haeliau'n amheus. "Mae Siân yn eneth hardd iawn. Mae'r Marach yn gwerthfawrogi harddwch." Roedd llais Arianwen yn feddal ac yn swynol. "Ac mae ei harddwch hi mor anarferol. Y gwallt tywyll a'r llygaid gwyrdd. Ydi, mae dy chwaer yn... arbennig. Ac mi fydden ni'n hoffi ymestyn croeso cynnes iddi hi, ac i chithau, i'n cartref ni."

Roedd addewid am fwyd a lloches yn swnio'n atyniadol iawn i Cledwyn, ond gwyddai hefyd na ddylai unrhyw un byth ymddiried mewn dieithriaid. Yn enwedig yma yng Nghrug, ble roedd creaduriaid bach milain yn llechu ym mhobman.

"Sut ydan ni'n gwybod na wnewch chi 'mo'n brifo ni?" gofynnodd Cledwyn, a difaru holi'r fath gwestiwn wrth weld llygaid porffor Arianwen yn caledu. Yn wir, gwnaeth y cwestiwn greu cymaint o atgasedd ar ei hwyneb nes i Cledwyn deimlo'n eithaf anghysurus ac aeth ias oer i lawr ei asgwrn cefn.

"Rydw i'n meddwl, Siân," meddai Arianwen yn uchel, "bod Cledwyn bach yn ein hamau ni."

Syrthiodd tawelwch dros y lle wrth i bawb droi ac edrych ar Cledwyn. Edrych i lawr ar ei draed wnaeth e, gan deimlo llygaid pawb yn edrych arno'n ddirmygus.

"Ond... Ond..." meddai Siân yn araf.

"Efallai y byddai'n well i ni'r Marach adael rŵan. Y peth olaf 'dan ni isho'i wneud ydi dod rhwng brawd a chwaer."

Ysgydwodd Siân ei phen yn ffyrnig. "Na! Swil ydi Cledwyn. Doedd o ddim yn bwriadu bod mor ddigywilydd. Nag oeddat, Cledwyn?"

Edrychodd Cledwyn ar ei chwaer heb ddweud gair.

Roedd ei llygaid yn fawr fel soseri ac roedd ei cheg yn dynn a phenderfynol.

"O'n i 'mond yn meddwl y byddai'n syniad da dod i nabod y Marach yn gynta, wsti, cyn i ni gytuno mynd i unrhyw le efo nhw." Roedd llais Cledwyn yn isel a phitw.

"Paid â bod mor wirion!" gwaeddodd Siân arno, a gallai Cledwyn glywed yn ôl tôn ei llais ei bod wedi colli'i thymer. "'Dan ni'n hanner llwgu, heb ffordd yn y byd o allu dianc o'r lle 'ma. Does dim dewis! Mae'n rhaid i ni fynd efo nhw! Gili Dŵ! Ti'n cytuno efo fi, 'yn dwyt ti?"

Edrychodd Gili Dŵ i fyny arni a sylweddolai Cledwyn ei fod yntau'n edrych yn anhapus iawn. Edrychodd Gili Dŵ'n ofalus ar y Marach, cyn codi a chamu'n araf dros y graig gan sefyll wrth ymyl Cledwyn.

"O'n i'n meddwl ei fod o'n ffeol eitha call i beidio byth â mynd i nunlle efo pobol ddiafth. Yn enwedig pobol ddiafth ddwywaith eich maint sy'n eich anwybyddu chi'n gyfan gwbl."

Chwarddodd Arianwen yn ysgafn. "O diar! Mae'ch anghenfil bach anwes chi'n eiddigeddus!"

"Anghenfil anwes...?" meddai Gili Dŵ'n gegrwth.

"Iawn 'ta!" gwaeddodd Siân, a sylweddolodd Cledwyn ei bod hi wedi gwylltio go iawn erbyn hyn. "Arhoswch chi yn fa'ma i lwgu. Ond dwi ddim am fod mor styfnig. Mi ddois i yma i chwilio am Nain, ac unwaith y gwnaiff y Marach caredig hyn roi tamaid o fwyd a noson o loches i mi, mi a' i i chwilio amdani!" Martsiodd Siân drwy'r Marach cyn camu a sefyll ar graig arall. Yna aeth at y ceffylau llwyd a neidio i mewn i goets bren, cyn diflannu o'r golwg.

"Paratown i adael!" meddai Arianwen yn uchel a chlir, ac ar

unwaith dechreuodd y Marach symud fel un tuag at y ceffylau a'r coetsys. Trodd Arianwen at Cledwyn a Gili Dŵ, gan wenu'n ffals. "Siân druan. Yn gorfod dewis rhwng aros efo chi neu bod yn saff."

"Wnaeth neb ofyn iddi ddewis..." meddai Cledwyn, gan sbio i gyfeiriad y goets lle cuddiai Siân.

"Ydych chi'n siŵr yr hoffech chi aros yma ar eich pennau'ch hunain?" gofynnodd Arianwen, cyn i Cledwyn gael cyfle i orffen ei frawddeg. "Tydi o ddim y lle saffa yn y byd. Mi fysech chi'n synnu faint o sgerbydau rydan ni'n eu gweld ar y creigiau hyn..."

"Os cawn ni ddod, mi fyddwn ni'n ddiolchgar iawn," meddai Cledwyn, gan drio swnio fel petai o'n golygu yr hyn roedd o'n ei ddweud. "'Yn byddwn ni, Gili Dŵ?"

Edrychodd Gili Dŵ i fyny ar Cledwyn yn amheus. "Mynd efo ffain? Wyt ti'n gall?"

"Plîs!" sibrydodd Cledwyn. "A thria edrych fel petait ti isho mynd!"

Ochneidiodd Gili Dŵ. "Olfeit! Afianwen, plîs, plîs, plîs, os gwelwch chi fod yn ofnadwy o dda, gawn ni ymuno efo chi i fynd i'ch caftfef anhygoel..."

"'Sdim isho mynd dros ben llestri!" meddai Cledwyn rhwng ei ddannedd.

"Wrth gwrs y cewch chi ddod!" meddai Arianwen, gan wenu'n ffals unwaith eto. "Unrhyw beth fydd yn gwneud Siân yn hapus! Ga i awgrymu eich bod chi'n teithio rŵan mewn coets ar wahân iddi hi. Mi ges i'r teimlad ei bod hi'n teimlo'n eitha dig tuag atoch chi yn dilyn eich ymddygiad gwarthus."

Heb ddweud gair, dringodd Cledwyn a Gili Dŵ i mewn i'r

goets. Roedd hi'n fawr a gwag gyda ffenestri bychan budr, a doedd dim sêt i eistedd arni. Gwnaeth Cledwyn a Gili Dŵ eu hunain yn weddol gyffyrddus ar y pren llychlyd, y ddau mor brudd â'i gilydd. Clywodd y ddau lais peraidd Arianwen yn galw "Ymaith!" a dechreuodd y goets symud yn gyflym.

"Tydan ni ddim yn gall," meddai Gili Dŵ, gan bwyso'i ben bach yn ôl ar gefn y goets. "Ddim... yn... gall."

"Allen ni ddim gadael Siân!" atebodd Cledwyn. "A beth bynnag, dyma ydi'n hunig obaith ni. Mi fyddai'r tri ohonon ni wedi llwgu ar y creigiau pe na byddai'r Marach wedi dod o hyd i ni."

"Mi fyddai'n well gen i lwgu na chael fy mwyta'n fyw gan y genod penfelen hyn sy o leia'n saith tfoedfedd o daldfa," meddai Gili Dŵ'n bwdlyd.

Carlamodd y goets am oriau ac oriau. Ar y daith trodd Cledwyn i feddwl am Siân. Fyddai hi wedi mynd hebddo go iawn? Ei adael o i lwgu yng nghanol y creigiau? Roedd hi'n amlwg wedi gwylltio'n gacwn efo Cledwyn, ond câi hi ei thrin yn wahanol iddo fo gan y Marach. Roedd y Marach wedi gwirioni efo hi, yn gwneud cymaint o ffws ohoni. Na, roedd Cledwyn yn siŵr iddo fod yn ddoeth wrth fod mor betrus.

Er, mi fyddai'n dda ganddo pe byddai Siân ac yntau'n ffrindiau, fel cynt.

Carlamodd y ceffylau am oriau, dros filltiroedd o'r creigiau fflat, llyfn. Sylweddolodd Cledwyn wrth iddo edrych drwy'r ffenestri bach budr, y byddai wedi cymryd wythnosau i groesi'r paith creigiog yma ar droed. Pe na byddai'r Marach wedi dod o hyd iddynt, buasai ef, Siân a Gili Dŵ wedi marw, siŵr o fod, ar y creigiau.

Teithiodd Cledwyn a Gili Dŵ yn y goets drwy'r dydd. Carlamodd y ceffylau am oriau ac oriau yn ddi-stop, ac, ar ôl ychydig, syrthiodd Gili Dŵ i gysgu mewn cornel dywyll. Eisteddodd Cledwyn ar y pren llychlyd, ond allai o ddim cysgu. Roedd ei feddwl yn gwibio drwy'r holl bethau a oedd wedi digwydd iddo ers gadael Aberdyfi drwy ffrâm y llun ychydig ddyddiau nôl. Meddyliodd am Nain, am yr Abarimon, ac am y lleisiau a fu'n galw enw ei nain yn y goedwig. Meddyliodd am Bendramwnwgl ac am y Marach. Ac, wrth gwrs, meddyliodd am Siân. Roedd meddwl amdani'n eistedd mewn coets arall hebddo yn gwneud iddo deimlo braidd yn anniddig. Roedd o'n dal i gofio'i gwyneb yn syllu arno'n llawn atgasedd ychydig oriau ynghynt, ei llygaid yn fflachio'n flin.

Roedd Cledwyn wedi dechrau meddwl y byddai'r daith yn parhau drwy'r nos cyn y dechreuodd y goets arafu, a sŵn carlamu'r ceffylau o'u cwmpas yn dod i stop. Cododd ar ei draed ac edrych drwy'r ffenest. Safai'r goets mewn coedwig fawr, ac roedd yr awyr uwchben yn dechrau tywyllu. Mae'n rhaid eu bod nhw wedi teithio ers amser brecwast hyd at fachlud yr haul.

Agorodd Cledwyn ddrws y goets a gweld y Marach yn sefyll o gwmpas, yn edrych yn flinedig. Dylyfodd Gili Dŵ ei ên yn llydan agored a rhwbio'i lygaid cyn dweud wrth Cledwyn, "Do'n i ddim yn cysgu," meddai. "Dim ond yn gof-ffwys fy llygaid."

Neidiodd Cledwyn o'r goets ar garped trwchus o fwsog melfedaidd. Mor wahanol oedd y goedwig yma i'r un llawn ysbrydion y bu Cledwyn, Siân a Gili Dŵ ynddi'n ddiweddar. Roedd y goedwig hon yn llawn sŵn adar bach, a hedfanai cannoedd o loÿnnod byw yn ddioglyd o goeden i goeden. Teimlai'r mwsog fel sbwng dan wadnau ei draed. I goroni'r cyfan, rhedai afon fechan a oedd yn arwain drwy'r coed at raeadr fach hyfryd. Gallai Cledwyn weld y pysgod bach arian yn nofio ar waelod yr afon yn y dŵr clir. Wrth iddo fyrlymu dros y cerrig, roedd y dŵr fel petai'n siffrwd sibrydion, a swniai dŵr y rhaeadr fel anadl angylion wrth iddo syrthio i lawr i'r pwll dwfn. Hedfanai ambell aderyn bach o amgylch y rhaeadr, eu plu meddal yn llachar a hyfryd. Roedd yr holl le mor berffaith o hardd, meddyliodd Cledwyn, fel golygfa mewn breuddwyd.

Anwybyddodd y Marach Cledwyn wrth iddynt gerdded heibio iddo'n droednoeth ar eu ffordd at bwll y rhaeadr. Trochai ambell un o'r Marach eu traed yn yr afon, tra golchai ambell un arall eu dwylo dan y rhaeadr. Doedd Cledwyn erioed wedi gweld dŵr yn disgleirio cymaint, yn wir, edrychai fel petai diemwntau a chrisialau'n pefrio ynddo. Safodd Cledwyn am ychydig, wedi'i syfrdanu gan yr olygfa hyfryd.

"Del, tydi?" Doedd Cledwyn heb glywed Siân yn dod i sefyll wrth ei ymyl, a chochodd wrth iddo sylweddoli ei fod yn syllu'n gegagored ar y rhaeadr. Safai Gili Dŵ yn ymyl Siân, a golwg braidd yn boenus ar ei wyneb.

"Wyt ti'n iawn?" gofynnodd Cledwyn iddo.

"Dŵf," atebodd Gili Dŵ, heb dynnu ei lygaid oddi ar yr afon. "Dŵf ydi hwnna."

"Mae o'n edrych yn ddŵr mor lân, tydi?" meddai Siân. "Falla a' i i nofio wedyn. Tydw i heb folchi ers…"

"Dwyt ti heb weld afon erioed o'r blaen, Gili Dŵ?" torrodd Cledwyn ar draws ei chwaer.

"Dŵf," meddai Gili Dŵ eto. Plethai ei fysedd yn ei gilydd, yn amlwg yn nerfus tu hwnt. "Mae dŵf yn befyg. Pefyglus iawn."

"Nac ydi siŵr!" meddai Siân. "Cyn belled â dy fod ti'n cymryd gofal, mae dŵr yn berffaith saff."

"Nid yng Nghfug," atebodd Gili Dŵ'n ofnus. "Os ydach chi'n meddwl bod y tif yn befyglus, ma'f dŵf yn ganwaith gwaeth. Y cfeadufiaid mwya dychfynllyd efioed..."

Daeth sŵn chwerthin ysgafn y tu ôl iddynt. Roedd Arianwen wedi bod yn gwrando ar eu sgwrs.

"Hen lol," meddai, gyda gwên ar ei hwyneb prydferth. "Ydych chi'n siŵr eich bod chi'n gwneud peth call, yn gadael i'r creadur bach hyll yma eich arwain chi o gwmpas Crug? Tydi o'n amlwg yn gwybod fawr ddim am y lle!"

"Mae Gili Dŵ wedi bod yn help mawr i ni," meddai Cledwyn braidd yn llym, wrth weld wyneb bach Gili Dŵ'n crychu mewn cywilydd. Teimlai Cledwyn gasineb yn cronni y tu mewn iddo. Sut y medrai Arianwen feiddio siarad fel hyn am Gili Dŵ?

"Yn amlwg, Cledwyn," atebodd Arianwen yn ysgafn, "roeddach chi'n *trio* cyrraedd canol nunlle yng nghanol y creigiau, on'd oeddach chi? Ac wedi rhoi eich hun mewn sefyllfa hynod o beryglus."

"O leia rydan ni'n gwybod be 'dan ni'n chwilio amdano. Fyddai dim syniad ganddon ni heb Gili Dŵ," meddai Cledwyn. "A beth bynnag, hebddo fo mi fysan ni wedi cael ein sathru i farwolaeth gan yr Abarimon ddyddiau nôl."

"Efallai ei bod hi'n bwysicach i chi fod yn driw i'ch ffrind na dod o hyd i'ch nain," meddai Arianwen, gan syllu'n syth i lygad Cledwyn.

Agorodd Cledwyn ei geg i ateb, ond caeodd hi eto wrth iddo sylweddoli nad oedd ganddo ddim byd i'w ddweud.

Gwenodd Arianwen arno cyn troi a dechrau cerdded drwy'r coed. "Dilynwch fi," meddai, heb edrych yn ôl.

Wrth i Siân a Cledwyn ei dilyn drwy'r coed, gyda Gili Dŵ'n eu dilyn ymhellach y tu ôl iddynt, trodd Cledwyn at ei chwaer yn flin.

"Mi fysat ti wedi gallu fy helpu i'n fan'na," sibrydodd yn ddig. "Ar ochr pwy wyt ti, Siân; ni neu'r Marach?"

"Wel," meddai Siân, gan hisian drwy ei dannedd. "Falle bod Arianwen yn dweud y gwir."

"Be?" sibrydodd Cledwyn yn syn. "Ar ôl popeth mae Gili Dŵ wedi'i wneud i ni. Chdi ddeudodd yn y lle cynta y dylian ni ymddiried ynddo fo!"

"Doedd 'na ddim dewis arall ar y pryd, nag oedd? Yli Cled, mae Gili Dŵ'n annwyl iawn..."

"Yndi," atebodd Cledwyn yn chwyrn.

"... Ond mae hi'n amlwg bod ganddo fo ddim clem am be mae o'n sôn."

"Tydi hynna ddim yn deg!"

"Diolch i Gili Dŵ, roeddan ni ar goll mewn gwlad anial llawn creigiau, heb fwyd na diod. Falla basan ni wedi marw pe na basa'r Marach wedi dod o hyd i ni."

"Ond..."

"Y cyfan dwi'n deud ydi, Cled, 'falla y dylian ni feddwl ddwywaith ynglŷn â dilyn cyngor Gili Dŵ y tro nesa."

Cafodd Cledwyn ei daro'n fud am ychydig eiliadau. Doedd o erioed wedi bod mor flin. Roedd yn rhaid iddo rwystro'i hun rhag sgrechian ar ei chwaer.

"Siân," meddai rhwng ei ddannedd ar ôl ychydig eiliadau, "sut fedri di fod mor galon-galed?"

"Paid â thrio gwneud i fi deimlo'n euog," meddai Siân a'i llygaid yn fflachio. "'Dan ni i gyd yn gwybod pam dy fod ti'n pwdu!"

"Pwdu? Am be?"

"Mae o'n amlwg, tydi? Mae'n well gan y Marach 'y nghwmni i na dy gwmni di, a dwyt ti ddim yn hapus efo'r holl sylw rydw i'n 'i gael."

Stopiodd Cledwyn a Siân yn stond ar y llwybr gan syllu ar ei gilydd, eu llygaid yn oeraidd a chaled.

"Tydw i ddim isho sylw gan y Marach, diolch! Ma 'na rywbeth od iawn amdanyn nhw, os wyt ti'n gofyn i mi. Ac maen nhw'n cael dylanwad drwg iawn arnat ti."

"Hy! Dwyt ti ddim yn hapus achos 'mod i'n rhoi mymryn o sylw i rywun arall. Dim babi wyt ti rŵan, Cledwyn!" Roedd golwg filain iawn ar wyneb Siân.

"Be amdanat ti?" rhuodd Cledwyn yn flin. "Y cyfan mae'r Marach yn 'i wneud ydi rhoi mymryn o sylw i ti er mwyn dy hudo di. 'O, Siân, mae dy wallt di mor hardd, mae dy groen di fel hufen!' Buan iawn gwnest ti anghofio am dy hen ffrindia."

"Meddwl am Nain ydw i… Dod o hyd iddi hi sy'n bwysig…"

"Meddwl amdanat ti dy hun wyt ti! Mae'r Marach yn trin Gili Dŵ a finnau fel darnau o faw ci a does dim ots gen ti, dim ond i ti gael sylw!"

Bu tawelwch am ychydig wrth i Cledwyn a Siân gael eu gwynt atynt. Roedd y Marach a Gili Dŵ wedi stopio cerdded ac roedden nhw'n syllu'n syn.

"Twt twt," meddai Arianwen gyda gwên. "Doedden ni ddim yn bwriadu achosi ffrae. Wyt ti ddim isho gwledda gyda ni, Cledwyn?"

"Yndw," atebodd Cledwyn, gan gochi at ei glustiau. "Mae'n… ddrwg gen i…"

Chwarddodd Arianwen. "Deall yn iawn. Mae'n siŵr ei bod

hi'n anodd cael chwaer mor hardd â Siân. Mae hi'n siŵr o ddwyn yr holl sylw. Mae eiddigedd yn emosiwn naturiol. Ymlaen?"

Rhedodd Siân at y Marach er mwyn cael cydgerdded gyda nhw. Wrth i Cledwyn ailddechrau cerdded, cafodd gip ar wyneb trist Gili Dŵ. Suddodd calon Cledwyn wrth iddo sylweddoli bod Gili Dŵ wedi clywed mwy o'r sgwrs nag oedd Siân wedi bwriadu ei datgelu.

Doedd y Marach ddim yn gwledda wrth fwrdd bwyd fel roedd Cledwyn wedi'i ddychmygu. Doedd y criw heb fod yn cerdded am yn hir pan ddaethant at lannerch eang o'r goedwig lle roedd y coed wedi'u torri a'r bonion yn sefyll ychydig droedfeddi uwchben y llawr mwsoglyd. Roedd y bonion yn ffurfio siap 'O' fawr, ac roedd y gwagle yn y canol yn frith o glychau'r gog bach piws. Roedd o'n lle hardd iawn, ac wedi i'r Marach ddechrau eistedd sylweddolodd Cledwyn beth oedd pwrpas y bonion. Eisteddai'r Marach ar lawr wrth ymyl y bonion, gan ddefnyddio'r pren llyfn fel bwrdd bach. Roedd hen ddigon o fonion yn y cylch i bawb gael ei fwrdd bach ei hun.

Byddai Cledwyn wedi hoffi eistedd wrth y bonyn nesaf at Siân neu Gili Dŵ, ond arweiniodd un o'r Marach ef at un o'r bonion ar gyrion pellaf y cylch. Doedd Gili Dŵ ddim yn rhy bell i ffwrdd oddi wrtho chwaith, ond eisteddai Siân wrth y bonyn nesaf at Arianwen yr ochr arall i'r cylch. Eisteddai dwy o'r Marach bob ochr i Cledwyn, gan ei anwybyddu'n llwyr.

Nid bod Cledwyn wedi maddau i Siân am y pethau a ddywedodd hi gynnau. Roedd y ffrae gyda'i chwaer wedi gwylltio Cledwyn yn llwyr, yn enwedig nawr wrth edrych ar wyneb siomedig Gili Dŵ'n syllu i lawr ar y bonyn coeden o'i flaen. Methai Cledwyn yn lân â deall sut nad oedd Siân yn gallu gweld pa mor gas ac oeraidd oedd y Marach tuag ato ef a Gili Dŵ. Bu o bron iawn â gwrthod gwledda gyda nhw, ond gwyddai nad peth call fyddai hynny yn y pen draw – roedd o'n wan eisiau bwyd.

Ar ôl i bawb eistedd, cerddodd tair o'r Marach i ganol y cylch o fonion, a dechrau canu'n swynol, eu lleisiau'n plethu i'w gilydd mewn harmonïau hyfryd. Doedden nhw ddim yn canu geiriau, ond yn mwmial y llafariaid 'o, a, i, w', gan symud o'r naill lythyren i'r llall yn araf. Roedd sŵn y llafariaid yn cael eu mwmial yn atgoffa Cledwyn o sŵn morfilod yn canu o dan y môr a welsai ar raglen deledu unwaith. Eto i gyd, roedd 'na rywbeth eithaf brawychus am sain y Marach hardd yn canu'r nodau lleddf hyn. Prin y gallai Cledwyn dynnu ei lygaid oddi arnyn nhw, wrth i'r nodau ei swyno. Gwelodd Siân yn ei wylio o'r pen arall ac un o'i haeliau wedi'i chodi'n amheus. Sylweddolodd Cledwyn yn sydyn pa mor ddwl yr edrychai, wrth iddo rythu ar y merched prydferth a'i geg yn llydan agored.

Cyn pen dim, daeth hanner dwsin o'r Marach allan o'r coed a dosbarthu'r swper. Cafodd Cledwyn bentwr anferthol o fwyd, heb blât na chyllell na fforc i'w helpu. Wrth i un o'r Marach prydferth tal osod y bwyd ar y boncyff, syllodd i fyw llygad Cledwyn heb wên na sgwrs. Roedd golwg eithaf milain arni ac roedd Cledwyn yn falch pan y symudodd hi i ffwrdd at y boncyff nesaf. Edrychodd i lawr ar ei fwyd, a'i geg yn glafoerio.

Cig. Pentwr enfawr o wahanol gigoedd, yn dew ac yn frown ar ôl cael eu coginio dros dân. Roedd yr arogl yn anhygoel – fel arogl y tun rhostio ar ôl cinio dydd Sul.

Roedd y blas yn well byth. Roedd pob darn o gig wedi'i goginio'n berffaith, a phob cegaid yn llawn blas a sudd. Doedd

Cledwyn ddim yn siŵr ai cig eidion, cig mochyn neu fath arall o gig oedd yn y gymysgedd blasus o gigoedd, ond beth bynnag oedd o, doedd Cledwyn ddim yn mynd i roi stop ar y gwledda rŵan. Wrth iddo rwygo stecen yn ddarnau gyda'i ddannedd, edrychodd Cledwyn draw at Siân a Gili Dŵ. Roedd Siân yn torri'r cig yn ddarnau mân gyda'i bysedd cyn ei roi o yn ei cheg a'i gnoi. Roedd Gili Dŵ wedi plannu ei wyneb yng nghanol y bwyd ac roedd o'n sglaffio popeth. Roedd 'na olwg wedi'i syfrdanu braidd ar ei wyneb bach crwn.

Trodd Cledwyn ei lygaid at Arianwen, a eisteddai wrth ymyl Siân. Syllai Arianwen arno. Doedd hi ddim yn bwyta o gwbl, ond roedd hi'n amlwg wedi bod yn gwylio Cledwyn yn rhwygo'r cig â'i ddannedd. Trodd Cledwyn yn ôl at ei fwyd, ond gan ei fod yn gwybod erbyn hyn bod llygaid Arianwen wedi'u hoelio arno, doedd ganddo fawr o awch am ragor o fwyd.

Fe fu'r Marach yn canu am oriau, ac wrth i bawb wledda, syrthiodd y nos dros y goedwig. Gwnaed sawl coelcerth o amgylch y cylch o fonion, ac wedi i'r haul ddiflannu'n gyfan gwbl, daeth dwy o'r Marach a fu'n dosbarthu'r bwyd o gwmpas unwaith eto, y tro hwn yn dosbarthu jariau bach gwydr. Rhoddodd un o'r Marach jar fach ar y bonyn o flaen Cledwyn, heb air o esboniad am yr hyn oedd ynddi. Cododd Cledwyn y jar yn ei ddwylo ac edrych y tu mewn iddi.

Roedd 'na ddyn bach, llai na hanner maint bys Cledwyn, yn rhedeg o naill ochr y jar i'r llall gan daro'i gorff yn erbyn y gwydr, fel petai'n ceisio torri'n rhydd. Edrychai'r creadur yn llwyd, fel petai o wedi'i wneud o glai. Doedd ganddo ddim gwallt, dim bysedd nag ewinedd, dim ond corff bach llyfn heb unrhyw farc arno. A dweud y gwir, doedd dim o'r manylion bach fel aeliau nac ewinedd ar gorff hwn. Ond y peth mwyaf od am y creadur oedd bod ei gorff bychan yn llawn goleuni, ac yn disgleirio o'i gorun i'w sawdl. Roedd fel bwlb golau ond heb fod yn rhy lachar, a sylweddolodd Cledwyn mai dyna oedd pwrpas y jariau bach oedd yn cynnwys y creaduriaid bychain, sef goleuo tywyllwch y nos.

"Esgusodwch fi," meddai Cledwyn yn dawel wrth un o'r Marach a eisteddai nesaf ato. Doedd neb yn y cylch yn siarad, dim ond yn gwrando ar y canu, felly teimlai Cledwyn braidd yn ddi-gywilydd yn siarad, fel petai o mewn gwasanaeth yn yr ysgol, neu yn y theatr. "Esgusodwch fi," meddai wedyn, ychydig yn uwch y tro hwn. Trodd y Marach i edrych arno, a golwg wedi diflasu ar ei hwyneb. Pwyntiodd Cledwyn at y jar. "Be 'di hwn?"

"Cnorc," atebodd y Marach. "Hen betha bach hyll ond ma nhw'n rhoi gola da. Rŵan cau dy geg, dwi'n trio gwrando ar…"

"Ydi o ddim braidd yn greulon ei gadw fo mewn jar?" torrodd Cledwyn ar ei thraws. "Tydi o ddim yn edrych yn hapus iawn." Syllodd Cledwyn ar y Cnorc, a geisiai dorri'r gwydr erbyn hyn trwy ei bwnio'n ddi-baid.

"Creulon?" Chwarddodd y Marach. "Mi gei di weld be 'di creulon os agori di'r jar 'na. Tydi hi ddim yn edrych fel petai ganddo fo ddannedd o gwbl, nac ydi? Ond maen nhw yna'n rhywle, yn finiog fel cyllyll ac yn llawn gwenwyn. Hanner dropyn sydd ei angen o'r gwenwyn, ac mi fyddet ti'n gelain."

Sylweddolai'r Cnorc fod Cledwyn yn ei wylio, ac aeth o ar ei liniau er mwyn gweddïo arno, cyn pwyntio at dop y jar. Gosododd Cledwyn y jar yn ofalus ar y boncyff, ac yna gwyliodd y Cnorc yn cicio a strancio gan nad oedd Cledwyn wedi'i adael yn rhydd.

Yn sydyn ac yn ddirybudd, stopiodd y Marach ganu. Heb feddwl, dechreuodd Cledwyn glapio, cyn iddo sylweddoli'n sydyn mai fo oedd yr unig un a wnâi, a rhoddodd y gorau iddi. Trodd pawb i edrych arno, y Marach yn gwenu fel petai o wedi gwneud y peth mwyaf dwl erioed, a Siân yn ysgwyd ei phen yn llawn cywilydd. Teimlai Cledwyn ei fochau'n cochi a gostyngodd ei lygaid er mwyn osgoi dal llygaid unrhyw un arall.

Cododd Arianwen a throdd pawb ei llygaid ati hi. "Chwarae teg i Cledwyn am ddangos ei werthfawrogiad o'n cerddoriaeth ni," meddai, a chwarddodd pawb. Sylwodd Cledwyn ar y Cnorc yn ei jar, yn dynwared Cledwyn yn clapio cyn rholio ar y llawr yn chwerthin.

"Yn awr," parhaodd Arianwen, "fe awn ni i gysgu. Bydd ein gwestai, Siân, yn cysgu yn y llecyn nesaf at fy ngorffwysfan i. Bydd y ddau arall yn cysgu yn y Sycamorwydden Ddeheuol."

Trodd Arianwen gan amneidio ar Siân i'w dilyn. Cyn diflannu o'r cylch i grombil y goedwig, trodd Siân at ei brawd a rhoi gwên fach iddo. Gwenodd Cledwyn arni, er na theimlai'n hapus o gwbl. Doedd o ddim wedi disgwyl cael ei wahanu oddi wrth Siân dros nos. Gwyliodd Siân yn diflannu drwy'r coed a'i galon yn drom.

"Y ddau arall, dowch yma," galwodd un o'r Marach yn ddiamynedd. Cerddodd Cledwyn a Gili Dŵ ati hi'n araf, ac aeth Cledwyn â'r Cnorc gydag ef. Sylwodd fod Gili Dŵ'n edrych yn eithaf sâl, ond doedd hyn ddim yn syndod o gofio'r holl gig wnaeth o sglaffio. Gwenodd Gili Dŵ arno'n wan.

Arweiniodd un o'r Marach Gili Dŵ a Cledwyn drwy'r coed, heb ddweud 'run gair. Byddai Cledwyn wedi hoffi cael sgwrs gyda Gili Dŵ am ddigwyddiadau'r noson, ond doedd o ddim yn teimlo'n gyfforddus iawn yng nghwmni'r ferch, a beth bynnag, doedd o ddim am godi cyfog ar Gili Dŵ. Roedd diffyg presenoldeb Siân yn cael cryn effaith ar Cledwyn; gwnâi hi iddo deimlo'n saff, fel petai hi'n medru datrys unrhyw broblem, ac roedd bod hebddi yn ei wneud yn nerfus.

Ar ôl ychydig funudau, oedodd y ferch yn ymyl coeden fawr gyda thwll yn y bonyn. Pwyntiodd at y twll.

"Cysgwch yn fan'na. Peidiwch â symud o 'na." Trodd ac ymadael drwy'r coed.

"Mewn twll yng nghanol coedwig dywyll! Tydw i ddim yn meddwl y gwna i gysgu 'fun winc heno," meddai Gili Dŵ'n ddigalon.

Craffodd Cledwyn i mewn i'r twll, gan ddefnyddio'r Cnorc bach i oleuo'r tywyllwch. Roedd y twll yn ddigon mawr iddo ef a Gili Dŵ gysgu, ac roedd y dail ar lawr yn ymddangos yn sych ac yn eithaf meddal. Aeth Cledwyn ar ei bedwar i mewn i'r twll.

"Mi fyddan ni'n iawn yma," meddai, gan drio peidio â bod yn rhy ddigalon. Ymunodd Gili Dŵ ag ef yn y twll, ac eisteddodd y ddau yn gwylio'r Cnorc yn tynnu ei dafod arnynt.

"Ymddiheufiadau o flaen llaw os bydd 'na dofi gwynt heno," meddai Gili Dŵ. "Tydw i heb af-fef efo'f holl fwyd tfwm yma. Fydw i wfth fy modd efo cig, ond ma afna i ofn nad ydi fy stumog i'n cytuno."

Gorweddodd Gili Dŵ yn y dail. Edrychodd y Cnorc arno, a golwg wedi ffieiddio ar ei wyneb. Daliodd ei drwyn gan bwyntio at Gili Dŵ.

Er mor ddirmygus y bu Gili Dŵ am gysgu mewn boncyff coeden, ymhen deng munud cysgai'n drwm. Gorweddodd Cledwyn yn effro am ychydig, yn dychmygu ble roedd Siân, cyn troi ei feddwl at Nain. Gobeithiai â'i holl galon fod Nain yn fyw ac yn iach, ac y câi ef a Siân ei gweld hi cyn bo hir. Edrychodd Cledwyn allan drwy'r twll ym moncyff y goeden, a thrwy'r dail ar y coed gallai weld y sêr yn wincio arno. Yr unig beth a gadwai Cledwyn rhag diflasu'n llwyr oedd meddwl efallai fod Nain yn rhywle yn edrych ar yr un ffurfafen. Caeodd Cledwyn ei lygaid yn araf. Doedd dim sŵn i'w glywed heblaw am anadlu trwm Gili Dŵ, a doedd dim i'w weld ond y Cnorc, wedi cyrlio'n belen fach ar waelod ei jar yn cysgu'n drwm.

Pan ddeffrodd Cledwyn roedd y wawr bron â thorri, ac yn llenwi'r boncyff â golau gwan. Doedd Cledwyn heb gysgu mor dda ers tro, ac roedd o mor gyfforddus fel ei fod o'n fwy na pharod i fynd yn ôl i gysgu, yn enwedig wrth iddo weld bod Gili Dŵ'n dal mewn trwmgwsg.

Pan glywodd Cledwyn sŵn tapio tawel, gwyddai'n syth mai dyna oedd wedi'i ddeffro. Agorodd ei lygaid a gweld mai'r Cnorc oedd wrthi'n cnocio ochr y jar. Gan fod y Cnorc mor fychan, dim ond sŵn tapio bychan oedd i'w glywed, ond teimlai Cledwyn yn flin iddo gael ei ddeffro. Bu bron iddo â chladdu'r jar o dan y dail a mynd yn ôl i gysgu pan sylweddolodd y Cnorc fod Cledwyn wedi deffro ac amneidiodd arno i wrando'n astud. Clustfeiniodd Cledwyn, a chlywed lleisiau tawel iawn y tu allan i'r goeden. Rhoddodd Cledwyn ei ben drwy'r twll er mwyn medru clywed yn well. Deuai'r lleisiau o foncyff arall, nid nepell o'r fan lle bu Cledwyn a Gili Dŵ'n cysgu. Er na allai weld pwy oedd yn siarad, gwyddai mai lleisiau rhai o'r Marach oedden nhw. Swniai pob un ohonyn nhw mor debyg.

"Fedra i ddim coelio mai ni sy'n gorfod cadw llygad arnyn

nhw! Maen nhw'n 'y ngwneud i'n sâl. Welist ti'r creadur bach 'na sy'n siarad yn wirion yn sglaffio'r cig? Ych a fi!" meddai un ohonyn nhw.

"Do," atebodd y llall. "A be am frawd Siân yn clapio ar ôl y canu? Sôn am ffŵl!" Chwarddodd y ddwy'n aflafar.

"Tydw i'n methu dallt pam bod rhaid eu gwylio nhw o gwbl," cwynodd un arall. "Mae 'na olwg fel tasen nhw'n bwriadu cysgu tan wythnos nesa arnyn nhw!"

"O leia dim ond am un noson bydd rhaid eu gwylio nhw. Mae Arianwen wedi dweud – fory mi gawn ni wared ar y ddau yna, ac wedyn fydd Siân ddim yn gorfod poeni amdanyn nhw."

"Glywaist ti am gynllun Arianwen?"

"Naddo."

"O, mae o'n wych. Hollol wych. Mae hi am ddweud wrth Siân fod y brawd a'r creadur bach wedi dianc yn ystod y nos... Gwneud iddo fo swnio fel petaen nhw wedi troi eu cefnau arni hi, wedi dianc am fod arnyn nhw ofn..."

"Grêt!"

"Aros iti glywed y gweddill! Mae hi wedyn am drefnu gwledd i godi calon Siân... A dyfala pa gig fydd yn y lobsgows!"

"Ym... Cig mochyn?"

"Naci! Heb yn wybod iddi hi, mi fydd Siân yn gwledda ar ei brawd ei hun a'i ffrind!"

Pennod 6

GWYDDAI CLEDWYN ERS y dechrau fod rhywbeth am y Marach nad oedd yn taro deuddeg. Ond hyn! Fyddai o byth wedi gallu dychmygu y gallai rhywun fod mor filain! Doedd Cledwyn erioed wedi cael cymaint o ofn yn ei fywyd. Wrth edrych yn ôl dros yr holl brofiadau brawychus a gawsai yn ystod y dyddiau diwethaf, gwyddai mai rŵan yr oedd o mewn peryg go iawn.

Sylwodd yn sydyn ar y Cnorc yn ei jar. Pwyntiai at y twll ym monyn y goeden, ei lygaid yn fawr ac yn nerfus. Roedd o'n iawn, meddyliodd Cledwyn. Roedd yn rhaid iddyn nhw adael. Rŵan.

Rhoddodd Cledwyn ei law dros geg Gili Dŵ rhag iddo weiddi, ac yna'i ysgwyd yn ysgafn i'w ddeffro. Agorodd llygaid Gili Dŵ'n fawr fel soseri a phwysodd Cledwyn yn agos, agos ato er mwyn sibrwd yn ei glust.

"Paid â gwneud sŵn ar unrhyw gyfri. Mae'n rhaid i ni fod yn hollol dawel. Wyt ti'n deall?" Nodiodd Gili Dŵ ei ben a thynnodd Cledwyn ei law oddi ar ei geg.

"Mae'n rhaid i ni adael, rŵan. Mae'r Marach yn bwriadu ein coginio ni mewn lobsgows a'n rhoi ni'n swper i Siân."

Edrychodd Gili Dŵ ar Cledwyn am funud heb ddweud gair, cyn iddo ateb yn dawel, "Fyddai Siân byth yn..."

"Bydd Arianwen yn dweud wrth Siân ein bod ni wedi dianc yng nghanol y nos. Fydd ganddi hi ddim syniad mai ni sydd ar ei phlât hi." Brathodd Gili Dŵ ei wefus. Wrth iddo gydio yn jar y Cnorc a pharatoi i adael, dywedodd Cledwyn, "Mae'n rhaid i ni ddod o hyd i Siân, a'i heglu hi o 'ma. Os daw'r Marach o hyd i ni..."

Ysgydwodd Cledwyn ei ben. Doedd o ddim eisiau dychmygu'r holl ffyrdd poenus y byddai'r Marach yn eu defnyddio wrth baratoi'r cig.

Dringodd Gili Dŵ a Cledwyn yn araf allan o'r boncyff, gan gymryd gofal i beidio â gwneud 'run smic o sŵn. Pwyntiodd Cledwyn at y goeden ble clywodd y Marach yn sgwrsio, a rhoi ei fys dros ei wefus. Daliai'r ddwy i glebran wrth i Cledwyn a Gili Dŵ droedio i gyfeiriad y llecyn ble bu pawb yn gwledda'r noson cynt.

"Dwi'n meddwl y byddwn i'n edrych yn ddelach efo gwallt du, fel gwallt Siân," meddai un o'r Marach.

"W, dyna i ti syniad da!" meddai'r llall yn frwdfrydig. "Ond sut y gwnei di ei liwio fo? Mi fydd hi'n anodd dod o hyd i rywbeth na wneith olchi allan yn syth."

"Falla y gwna i ofyn i Arianwen os ca i ddefnyddio 'chydig o'r huddyg o'r tân. Wedyn, os gwna i ei gymysgu fo efo glud..."

"Ond wneith glud ddim sticio dy wallt i gyd at ei gilydd?"

"Tydw i ddim yn siŵr..."

Edrychodd Gili Dŵ ar Cledwyn, ac ysgwydodd yntau ei ben mewn penbleth. Roedd y Marach wedi gwirioni'n lân efo Siân!

Wrth blethu drwy'r coed yn chwilio am Siân, ceisiodd Cledwyn a Gili Dŵ fod mor dawel â phosib, ond roedd pob cam yn swnio fel petai'n atseinio yn eu clustiau. Roedd llawer o frigau ar lawr, ac yn torri'n swnllyd wrth i Cledwyn a Gili Dŵ gamu drostynt. Doedd y Cnorc ddim fawr o help, gan y byddai o'n rhoi ei fysedd yn ei glustiau bob tro y byddai'r dail yn siffrwd neu frigau'n torri.

Wedi iddyn nhw fod yn cerdded am ychydig, clywodd Cledwyn leisiau'n agosáu tuag atynt drwy'r coed. Gafaelodd ym mraich Gili Dŵ a rhewodd y ddau gan glustfeinio. Doedd dim dwywaith amdani. Roedd rhywun yn dod i'w cyfeiriad.

Edrychodd Cledwyn o'i gwmpas yn wyllt, gan chwilio am guddfan. Doedd dim byd yn ddigon mawr iddyn nhw allu cuddio y tu ôl iddo, a doedd bonion y coed ddim yn ddigon praff chwaith. Doedd nunlle i ddianc; roedd Cledwyn a Gili Dŵ ar fin cael eu dal.

Clywodd Cledwyn sŵn cnocio ysgafn, ac edrychodd i lawr ar y jar yn ei ddwylo. Dyrnai'r Cnorc y gwydr er mwyn denu eu sylw, ac wrth iddo sylweddoli bod Cledwyn yn edrych arno, dechreuodd bwyntio tuag at y nenfwd.

"Dim rŵan!" meddai Cledwyn yn dawel. "Dwi ddim am dy adael di'n rhydd o'r jar ar hyn o bryd!"

Cymerodd Gili Dŵ gip ar y Cnorc cyn sylweddoli'n sydyn, "Dwi ddim yn meddwl mai dyna mae o'n ddweud. Tybed...? Wfth gwfs!" Gafaelodd Gili Dŵ yn llaw Cledwyn cyn neidio ar y goeden agosaf, fel petai'n ei chofleidio. Gan ddal ei afael yn Cledwyn yn gadarn, tynnodd ef i fyny'r goeden, ac ymhen ychydig eiliadau roedd Cledwyn, Gili Dŵ a'r Cnorc bach yn ei jar i fyny ym mrigau'r goeden. Digwyddodd yr holl beth mor sydyn, a methai Cledwyn yn lân â deall sut y gallai creadur mor fach a thenau â Gili Dŵ ddal ei bwysau ef, a'i lusgo mor hawdd i fyny'r goeden uchel. Roedd o ar fin dechrau holi Gili Dŵ am y peth pan gofiodd fod y Marach yn agosáu oddi tanynt.

Eisteddai Cledwyn a Gili Dŵ ym mrigau'r goeden, gan wrando ar y lleisiau'n nesáu. Mwy o Farach. Gallai Cledwyn ddweud yn syth. Gwelai'r Marach trwy'r dail wrth iddynt gerdded heibio. Gwisgai un sbectol heb wydr, wedi'i gwneud o briciau pren, a oedd yn gwneud iddi edrych yn ddigon gwirion, a dweud y gwir.

Roedd y ddwy Farach arall yn craffu arni wrth gerdded.

"Tydi sbectol Siân ddim yn edrych fel'na." meddai un ohonynt. "Mae ei sbectol hi'n troi i fyny yn y corneli. Mae'r sbectol rwyt ti'n ei gwisgo'n hollol grwn."

"Ydyn," cytunodd un arall. "Ac mae ganddi hi ddau ddarn o wydr yn ei sbectol hi."

Gwgodd yr un a wisgai'r sbectol. "Eiddigeddus ydach chi, am nad oes ganddoch chi sbectol. A dweud y gwir, dwi'n meddwl 'mod i'n eithaf tebyg i Siân." Diflannodd y tair i mewn i grombil y goedwig, ac, ymhen ychydig, roedden nhw'n rhy bell i Cledwyn allu eu clywed yn sgwrsio.

"Falla fod y Mafach yn ein casáu ni," ebe Gili Dŵ'n dawel. "Ond maen nhw wedi gwifioni'n llwyf af Siân."

"Do," cytunodd Cledwyn. "Welaist ti'r sbectol roedd honna'n 'i gwisgo?"

"Do, mof ddi-steil. Doedd o'n gwneud dim i siâp ei gwynab hi. A dweud y gwif, fo'n i'n meddwl ei fod o'n gwneud iddi edfych fymfyn yn gfwn."

Edrychodd Cledwyn i lawr ar y ddaear oddi tanynt. Roedd pobman yn dawel – doedd neb o gwmpas.

"Rhaid i ni gario 'mlaen. Mae'n bwysig dod o hyd i Siân cyn i'r Marach sylweddoli ein bod ni ar goll."

Neidiodd Cledwyn bob cam oddi ar frigyn y goeden, a glanio ar y dail ar lawr. Glaniodd Gili Dŵ'n ei ymyl.

Wrth iddo frwsio'r dail crin oddi ar ei ddillad, sylweddolodd fod Gili Dŵ'n ei wylio, a gwên fach ar ei wyneb.

"Be?" gofynnodd Cledwyn yn amheus. Oedd ganddo fo ddail yn ei wallt, neu'n waeth byth, llysnafedd gwyrdd yn ei ffroenau?

"Meddwl oeddwn i," meddai Gili Dŵ, "faint o dfaffefth ges i a Siân i dy gael di i neidio o'f goeden honno pan ddaethoch chi i Gfug am y tro cyntaf. A dyma ti fŵan yn neidio o goeden llawef talach heb feddwl ddwywaith am y peth."

"Doedd o'n ddim byd. Dod o hyd i Siân sy'n bwysig rŵan," meddai Cledwyn yn dawel, ond gallai deimlo'r balchder yn cronni ym mêr ei esgyrn a gallai deimlo'i fochau'n cochi. Roedd Gili Dŵ'n iawn, doedd Cledwyn heb oedi cyn neidio i lawr o ganghennau uchel y goeden. Ond efallai fod hynny'n wir gan ei fod o'n gwybod fod pethau llawer gwaeth i godi ofn arno yma.

"Lwcus i mi feddwl am ddfingo'f goeden, ynte?" meddai Gili Dŵ wrth iddynt gydgerdded. "Pe bai'f Mafach wedi dod o hyd i ni..."

"Wel, a dweud y gwir Gili Dŵ, dwi'n meddwl mai syniad y Cnorc oedd dringo'r goeden. Fo oedd yn pwyntio tuag at y coed."

"Wel, ia hefyd. Ffyfedd, ynte?" Moesymgrymodd y Cnorc yn ei jar wrth glywed ei enw'n cael ei grybwyll. "Yn ôl be foedd y Mafach yn 'i ddweud neithiwf, tydyn nhw ddim yn gfeadufiaid annwyl iawn. Ac maen nhw'n wenwynig hefyd."

Tynnodd y Cnorc ei dafod ar Gili Dŵ.

"Mi ddyweda i un peth, toes 'na ddim manafs yn pefthyn iddyn nhw."

Cerddodd Cledwyn a Gili Dŵ drwy'r goedwig mor dawel â phosib, a chyn pen dim roedden nhw'n ôl ar gyrion y cylch lle y bu pawb yn gwledda. Roedd y lle'n hollol wag bellach, a'r tawelwch yn gwneud i Cledwyn deimlo'n eithaf anesmwyth. Dechreuodd Gili Dŵ gerdded i gyfeiriad y fan lle y diflannodd Siân y noson cynt, ond cydiodd Cledwyn yn ei fraich a'i rwystro.

"Well i ni gerdded o gwmpas, ac aros yn y coed," ebe Cledwyn. Mae'r cylch yn rhy agored. Tydi o ddim yn beth call cerdded drwyddo."

Edrychodd Gili Dŵ arno mewn penbleth. "Ond mae o'n hollol wag. Does 'na neb o gwmpas."

"Mi fyddai'n well gen i fynd ffordd hyn," mynnodd Cledwyn cyn troi ar ei sawdl, gan gadw at gyrion y cylch drwy'r coed. Trwy'r bonion gallai weld yn union lle bu'r Marach yn canu, a'r union fan lle bu ef ei hun yn gwledda. Gallai weld lle bu Gili Dŵ'n eistedd, a'r pentwr anferthol o esgyrn yn dal ar lawr yn dyst o'r ffaith iddo fwyta cymaint o gig. Pe bai pethau'n mynd o chwith, meddyliodd Cledwyn, byddai Siân yn gwledda yma heno ar lobsgows...

Ymhen ychydig, cyrhaeddodd Cledwyn a Gili Dŵ'r fan lle gwelson nhw Siân y tro diwethaf, yn diflannu drwy'r coed. Roedd Cledwyn ar fin dilyn y llwybr a gymerodd ei chwaer, pan gydiodd Gili Dŵ ynddo a phwyntio at geg y llwybr.

Roedd un o'r Marach yn eistedd ar lawr, yn pwyso ar goeden, yn gwynebu'r cylch gwledda. Doedd hi ddim yn wyliadwrus iawn. Roedd ei sylw i gyd yn mynd ar lanhau o dan ei hewinedd gyda brigyn bach.

"Rhaid i ni gadw oddi ar y llwybr," sibrydodd Cledwyn. "Rhag ofn bod 'na fwy o Farach."

"Cledwyn," sibrydodd Gili Dŵ wedi'i gyffroi'n llwyr. "Fwyt ti wedi cymfyd cam pwysig iawn!" Edrychodd Cledwyn arno mewn penbleth. "Pe baen ni wedi cfoesi'f cylch fel foeddwn i am wneud, byddai'f Mafach yna wedi'n gweld ni. Ond gan dy fod ti wedi gwfando af y llais bach yn dy ben – dy feddf di – mi fyddan ni'n saff!"

"Fy ngreddf i?" sibrydodd Cledwyn.

"Ia, y llais bach yn dy ben sy'n dweud wfthot ti pan mae ffywbeth yn ddfwg neu'n dda. Mae gan bawb y llais yna ond does bfon neb yn gwfando afno fo."

"Grêt," meddai Cledwyn, heb ddeall yn iawn pam fod Gili Dŵ'n gwneud cymaint o ffws. "Ond Gili Dŵ, does 'na ddim amser i'w wastraffu rŵan. Mae'n rhaid i ni ddod o hyd i Siân!"

Cerddodd y ddau am ryw ddeng munud, gan blethu eu ffordd drwy'r coed a chadw'r llwybr o fewn golwg. Gallai Cledwyn weld mor hardd oedd y llwybr. Roedd briallu'n tyfu ar bob ochr iddo, ac roedd dail y coed yn creu llen brydferth uwch ei ben. Tyfai eiddew ar hyd bonion y coed. Edrychai'r llecyn fel golygfa mewn llyfr henffasiwn, ac roedd Cledwyn yn hanner disgwyl gweld tylwyth teg yn dawnsio ymysg y blodau a'r dail.

Ymhen ychydig, daeth Cledwyn a Gili Dŵ at lecyn clir yng nghanol y coed lle roedd clychau'r gog yn garped trwchus ar lawr. Arhosodd Cledwyn a Gili Dŵ'n stond mewn rhyfeddod. Yng nghanol y llecyn, codai'r ddaear i greu bryncyn bach, a hwnnw wedi'i orchuddio â phlu ysgafn meddal. Ar ben y bryncyn, yn cysgu'n drwm, gorweddai Siân.

Cyn gynted ag y gwelodd Cledwyn ei chwaer, daeth dagrau o lawenydd i'w lygaid. Doedd pethau heb fod yr un fath hebddi. Edrychai mor brydferth, ei gwallt du hi'n edrych fel sidan ar y plu gwyn. Yn ei ffrog o betalau, yng nghanol y llecyn hyfryd, gallai Cledwyn ddeall yn iawn pam bod y Marach wedi gwirioni ar ei chwaer.

Camodd Cledwyn allan o'i guddfan yn y coed a cherdded yn wyliadwrus tuag ati. Dilynodd Gili Dŵ y tu ôl iddo, a gallai Cledwyn weld y Cnorc yn syllu drwy'r jar ar ei chwaer, ei ddwylo a'i drwyn yn pwyso yn erbyn y gwydr a'i geg yn agored.

"Siân," sibrydodd Cledwyn yn dawel. Agorodd Siân ei llygaid gwyrddion yn syth, a gwenu wrth weld ei brawd.

"Cled!" meddai, gan ymestyn i'w phoced am ei sbectol. "Gili Dŵ! Bore da! Sut noson gawsoch chi? Yn tydi'r gwlâu plu 'ma'n gyfforddus?"

"Chawson ni ddim gwlâu," sibrydodd Cledwyn yn frysiog. "A plîs, paid â siarad mor uchel."

"Be ti'n feddwl, cawsoch chi'm gwlâu? A pam wyt ti'n sibrwd?"

"Does 'na ddim amser i esbonio. Mae'r Marach yn bwriadu lladd Gili Dŵ a minna a..."

"Cled!" meddai Siân yn ddig. "Dwyt ti ddim yn dal i fynd 'mlaen a 'mlaen am yr hen lol 'na! Faint o weithiau sy'n rhaid i fi ddweud..."

"Mae o'n wir," torrodd Gili Dŵ ar ei thraws, a nodiodd y Cnorc yn ei jar. "Mi glywson ni nhw'n sgwfsio."

"Ond..." meddai Siân, yn edrych yn ansicr.

"Tydyn nhw ddim yn bwfiadu gwneud dim i ti, Siân. Dim ond i Cledwyn a finna."

"Mae'n rhaid eich bod chi wedi camddallt," meddai Siân. "Maen nhw wedi bod mor garedig wrthan ni..."

"Nac ydyn!" meddai Cledwyn, gan ddechrau colli'i dymer. "Maen nhw wedi bod yn garedig wrthat ti! Mae Gili Dŵ a finna'n cael ein trin fel dihirod – cael ein hanfon i gysgu mewn boncyff coeden a chael ein gwawdio – ac mae Arianwen wrth ei bodd yn codi cywilydd arna i ac yn gwneud i fi edrych yn dwp o flaen pawb! Ac mi rwyt ti'n cael dy drin fel tywysoges, efo pawb yn dweud mor hardd wyt ti ac yn gadael i ti gysgu yn y llecyn hyfryd 'ma. Rhaid i ti feddwl am bobol eraill heblaw ti dy hun, Siân!"

Lledodd llygaid mawr Siân fel soseri o dan ei sbectol, cyn edrych ym myw llygad Cledwyn. "Mae'n ddrwg gen i," meddai'n araf. "Doedd gen i ddim syniad..."

"Roeddat ti'n gweld Arianwen yn pigo arna i, Siân, a wnest ti'm byd i'w stopio hi."

"Ond..."

"Mi fyddai unrhyw un caredig wedi trin y tri ohonan ni 'run fath, oni fyddai? Ond doedd dim ots gen ti, cyn belled â dy fod ti'n cael dy drin yn iawn."

Gwyddai Cledwyn ei fod yn greulon wrth Siân, ond gwyddai hefyd na ddywedodd air o gelwydd. Bu Siân mor hunanol, ac roedd meddwl am hynny'n llenwi Cledwyn ag anobaith. Os nad oedden nhw'n gallu cyd-dynnu gyda'i gilydd, pa obaith oedd ganddyn nhw o drechu'r Marach a dod o hyd i Nain mewn gwlad ddiarth yn llawn angenfilod?

"Ffaid i ni fynd. Fŵan," meddai Gili Dŵ'n nerfus. Clustfeiniodd y tri. Roedd lleisiau'n agosáu drwy'r coed. Neidiodd Siân oddi ar ei gwely a rhedodd y tri at goeden gyfagos. Cyn i Siân gael cyfle i ofyn beth fyddai'n digwydd wedyn, roedd Gili Dŵ wedi gafael yn ei llaw hi a llaw Cledwyn, ac wedi'u tynnu i fyny'r goeden, yn union fel y gwnaeth wrth eu hachub rhag yr Abarimon. Cyn pen dim, eisteddai'r tri ym mrigau uchaf y coed, y dail trwchus yn eu cuddio'n gyfan gwbl. Roedd y dail mor drwchus fel na allen nhw weld y ddaear oddi tanynt hyd yn oed. Dechreuodd Siân siarad ond rhoddodd Gili Dŵ ei fys dros ei wefusau a phwyntio at y llawr. Roedd y lleisiau'n agosáu. Clustfeiniodd y tri'n astud, a'r Cnorc hefyd, wrth iddo osod ei glust yn erbyn gwydr y jar.

Wrth glywed lleisiau cynhyrfus y Marach yn cyrraedd y llecyn, sylweddolai Cledwyn, Siân a Gili Dŵ'n syth fod y Marach yn gwybod bod Siân wedi diflannu. Diolchodd Cledwyn na allai weld y Marach o'i guddfan; mae'n siŵr bod golwg ddychrynllyd ar eu hwynebau wedi iddynt sylweddoli nad oedd Siân yno.

"Siân?" Daeth y llais yn glir fel cloch i dorri ar y tawelwch, a gwyddai Cledwyn yn syth mai llais peraidd Arianwen oedd o. Edrychodd ar Siân a sylwi bod deigryn bach yn rhowlio i lawr ei gruddiau. Roedd Cledwyn yn ysu am gael ymestyn a chydio yn ei llaw, ond roedd arno ofn y byddai'n gwneud gormod o sŵn.

"Siân?" Doedd y waedd ddim mor fwyn y tro hwn, a gwyddai Cledwyn fod Arianwen yn dechrau poeni o ddifri am Siân.

"Mae hi wedi diflannu," meddai un o'r Marach arall.

"Dwi'n gallu gweld hynny!" gwaeddodd Arianwen yn biwis. "Siân! Siân! Tyrd yma'r munud 'ma!" Roedd hi'n sgrechian erbyn hyn, yn amlwg wedi gwylltio'n gacwn. Doedd Cledwyn erioed wedi clywed sŵn mor ddychrynllyd â'r sgrech fain honno yng nghanol tawelwch y goedwig. Edrychodd Cledwyn ar Siân a Gili Dŵ. Gwrandawai Siân yn gegagored, tra eisteddai Gili Dŵ a'i lygaid ynghau. Eisteddai hyd yn oed y Cnorc mewn pelen fach – ei bengliniau wedi'u lapio yn ei freichiau.

"Ma hi yma'n rhywle," meddai rhywun arall. "Wedi mynd am dro neu rywbeth mae hi..."

Daeth sŵn traed yn rhedeg ar hyd y llwybr a chlywodd Cledwyn sŵn anadlu trwm. Gwyddai cyn i neb ddweud gair beth fyddai'r llais nesa'n ei ddweud.

"Arianwen! Maen nhw wedi mynd!" meddai un o'r Marach, yn fyr ei gwynt. "Yr hogyn bach a'r creadur od. Wedi diflannu!"

"WEDI DIFLANNU?" Gwichiodd Arianwen. "A phwy oedd i

fod i ofalu nad oedd 'run ohonyn nhw'n symud cam? Ti! Yr hen jolpan wirion!"

"Wel, ia, Arianwen," atebodd y llais yn nerfus. "Ond…"

"Dim ond amdani, yr hulpan ddwl. Mi roddais i orchymyn nad oeddach chi i adael i'r ddau dwpsyn symud cam, heb i chi…"

"Mae'n wir ddrwg gen i… Fyddan nhw ddim wedi mynd ymhell, tydyn nhw ddim yn adnabod y goedwig."

"Wel, mae'n hollol amlwg eu bod nhw wedi cyrraedd mor bell â'r fan hyn yn barod. Mae Siân wedi diflannu. Mae'r ddau wedi bod yma… Ac wedi'i chipio hi!" Rhuodd Arianwen fel llewes a chrynodd Cledwyn. "Cyfarfod brys o'r Marach yn y cylch gwledda, rŵan! Mae'n rhaid i ni ddod o hyd iddyn nhw."

"Dwi'n siŵr y bydd popeth yn iawn, Arianwen."

"Gwell iddo fo fod, er dy fwyn di," ebe Arianwen, a'i llais yn llawn gwenwyn. "Achos, gan mai dy fai di ydi o fod Cledwyn a'r peth bach 'na ar goll, ti fydd yn gorfod talu. Rydw i wedi gaddo lobsgows i swper heno, ac os nad ydw i'n dod o hyd i fy mhrif gynhwysion – Cledwyn a Gili Dŵ – ti fydd yn cymryd eu lle nhw."

Dechreuodd grio. Yna, brysiodd y tair o'r llecyn tawel ac eisteddodd Cledwyn, Gili Dŵ a Siân ym mrigau'r goeden yn gwrando ar sŵn eu traed yn pellhau.

"Dewch," meddai Cledwyn yn dawel. "Mae'n rhaid i ni fynd."

"Na," meddai Gili Dŵ. "Aros am funud."

Ochneidiodd Cledwyn "Mae'n rhaid i ni frysio. Bydd y goedwig yn berwi efo Marach cyn bo hir, pob un ohonyn nhw am ein gwaed ni."

"Yn union. Dim ots be wnawn ni, mi fydd y Mafach yn siŵf o ddod o hyd i ni yn y goedwig ..."

"Wel, tydi meddwl fel hynny fawr o help i neb," gwgodd Cledwyn.

"Wnei di foi'f gofa i doffi af 'y nhfaws i!" meddai Gili Dŵ. "Be dwi'n dfio'i ddweud ydi hyn: Mi fyddwn ni'n lot saffach o afos ym mfigau'f coed."

"Aros yn y brigau?" gofynnodd Siân, gan sychu ei dagrau. "Ond sut..."

"Wnewch chi foi cyfle i mi ddweud fy neud?" meddai Gili Dŵ'n ddiamynedd, gan roi ei law ar ei dalcen. "Feit. Fydw i wedi sylwi bod y coed af ochf yma'f goedwig yn tyfu'n afuthfol o agos at ei gilydd. Dwi'n meddwl y byddai'n hawdd camu o'f naill goeden i'f llall, gan ddefnyddio'f bfigau. Mae'f coed yn gfy, ac mi wnan nhw ddal ein pwysau ni."

Neidiodd Gili Dŵ i'r goeden agosaf er mwyn profi ei bwynt. Roedd o'n edrych yn hawdd iawn. Edrychodd Siân a Cledwyn ar ei gilydd.

"Dwi'n gêm," meddai Siân yn araf. "Ond efallai..."

"Be?" gofynnodd Gili Dŵ mewn penbleth.

"Wel... falla 'i fod o braidd yn ormod i Cled. Mae o'n beth eitha dychrynllyd i'w wneud, tydi, a ninna mor uchel..."

Neidiodd Cledwyn draw at Gili Dŵ, ac yna ymlaen i'r goeden nesaf. Trodd i edrych ar Siân, a gwenodd yn slei arni. Gwenodd Siân yn ôl arno mewn syndod.

Roedd hi'n rhyfeddol o hawdd neidio o frigyn i frigyn fel hyn, gan fod y coed yn gryf ac mor agos at ei gilydd. Bu'n rhaid i'r tri aros yn stond ambell waith pan fydden nhw'n clywed y Marach oddi tanynt, yn siarad o dan eu gwynt ac yn brysio o gwmpas y goedwig, ond mi lwyddodd y tri i symud yn sydyn.

Buon nhw'n neidio o goeden i goeden ar hyd y goedwig pan arhosodd Gili Dŵ ac amneidio ar Cledwyn a Siân i ymuno ag ef ar ei goeden yn dawel. Pwyntiodd Gili Dŵ at yr olygfa oddi tanynt.

Roedd y coed yn gorffen mewn un llinell daclus, a glaswellt meddal oedd y tir y tu hwnt. Gallai Cledwyn weld y glaswellt a choed yn eu britho. Rhedai afon lydan o'r goedwig ar hyd y caeau, cyn diflannu yn y pellter wrth droed y bryn.

Byddai Cledwyn wedi gwenu wrth edmygu harddwch yr olygfa, oni bai am un peth. Safai'r Marach yn rhes ar ffin y goedwig, cannoedd ohonyn nhw, yn gwneud yn siŵr na fyddai unrhyw bosibilrwydd iddynt ddianc o'r goedwig.

"Be 'dan ni'n mynd i'w wneud?" sibrydodd Cledwyn. Roedd pob ffydd a fu ganddo y byddai'n cael gweld Nain unwaith eto yn dechrau diflannu wrth iddo weld y Marach yn sefyll fel byddin yn aros amdanynt. Bu tawelwch am ychydig. Edrychodd Cledwyn ar Siân a Gili Dŵ. Roedd Gili Dŵ'n syllu ar y mynydd yn y pellter, gyda golwg llawn anobaith ar ei wyneb. Plethai Siân ei gwallt rhwng ei bysedd, fel y gwnâi bob tro wrth feddwl yn ddwys.

"Bingo!" meddai Siân yn dawel. Closiodd y tri at ei gilydd a sibrydodd Siân ei chynllun.

Ychydig funudau wedyn, neidiodd y tri i lawr oddi ar y goeden a sefyll ar lan yr afon, heb fod ymhell o ffin y goedwig ble roedd y Marach yn aros amdanynt.

Teimlai Cledwyn yn ddiflas. Doedd ganddo ddim ffydd yng nghynllun Siân, ond, gan nad oedd gan unrhyw un arall syniad gwell, roedd yn rhaid cymryd y risg.

"Ty'd yn dy flaen," meddai Siân gan gamu i mewn i'r afon, ei ffrog yn trymhau o dan y dŵr. Rhoddodd Cledwyn jar y Cnorc yn saff yn ei boced, cyn iddo yntau gamu hefyd i mewn i'r afon. Roedd hi'n afon lydan, ddofn, gyda'r dŵr yn cyrraedd hyd at ysgwyddau Cledwyn pan safai ar wely'r afon. Roedd y dŵr yn oer ond doedd dim ots gan Cledwyn; prin y gallai deimlo dim gan fod cymaint o ofn arno. Syllai Cledwyn a Siân ar Gili Dŵ wrth iddo gamu'n araf i'r dŵr. Roedd o'n edrych yn fwy ofnus na Cledwyn hyd yn oed.

"Dŵf yng Nghfug yn hollol wahanol i'f dŵf yn eich gwlad chi," sibrydodd, wrth ymdrochi ei gorff bach yn yr afon. "Dŵf yng Nghfug yn llawn dfygioni."

"Dim mor ddrwg â'r Marach," meddai Siân, yn bendant ei barn amdanynt bellach.

"Ac mae fy nghfoen i'n cfychu'n syth pan mae o'n cyffwfdd â dŵf. Mi gymfith o ddegau o fasgiau mwd i'w gael o nôl yn llyfn."

Gwenodd Cledwyn. Roedd Gili Dŵ mor ymwybodol o'i bryd a'i wedd.

"Reit 'ta," meddai Siân. "Mae'n rhaid i ni symud mor gyflym â phosib. Mae dwy o'r Marach ar lan yr afon, ond maen nhw'n rhy brysur yn sgwrsio ar hyn o bryd. Beth bynnag, does ganddyn nhw ddim rheswm i edrych i mewn i ddŵr yr afon. Os byddwn ni'n ofalus iawn ac yn cadw ein pennau o dan y dŵr, heb wneud dim sŵn o gwbl, mae 'na siawns y gallwn ni nofio oddi yma o dan eu trwynau nhw, heb iddyn nhw sylweddoli o gwbl."

"Ond mae o mof befyglus!" plediodd Gili Dŵ. "Does dim ond angen iddyn nhw sbio i lawf, ac mi wnan nhw'n gweld ni. Mi fydd hi'n ta ta afnon ni wedyn, bydd wif."

"Oes gen ti syniad gwell?" gofynnodd Siân yn heriol ac ysgydwodd Gili Dŵ ei ben. "Mi wn i ei fod o'n beryglus, ond toes ganddon ni ddim dewis – mae'n rhaid i ni drio!"

Doedd dim amser i'w golli. Dechreuodd y tri nofio at ymyl y goedwig ble roedd y Marach yn aros amdanynt. Roedd Cledwyn a Siân yn nofwyr cryf, ar ôl treulio llawer o amser ym mhwll nofio Tywyn ac yn y môr yn Aberdyfi, ond roedd Gili Dŵ ychydig yn arafach. Ryw ddiwrnod, meddyliodd Cledwyn, mi wna i ddangos i Gili Dŵ sut mae plymio a gwneud roli poli o dan y dŵr.

Cyn pen dim, cyrhaeddodd y tri yn agos iawn at ffin y goedwig ar lan yr afon. Stopiodd y tri nofio, a sefyll yn dawel yn y dŵr. Curai calon Cledwyn mor drwm, fel bod arno ofn y byddai'r Marach yn gallu ei chlywed. Roedd dwy o'r Marach, un bob ochr i'r afon, yn sgwrsio â'i gilydd dros y dŵr. Byddai'n rhaid nofio o dan y dŵr yn yr afon rhwng y ddwy.

"Fi gynta," sibrydodd Siân. Tynnodd ei sbectol a'i chlymu'n ofalus i fyny llawes ei ffrog. Heb wneud smic, plymiodd Siân i mewn i ddyfnderoedd yr afon a gwelodd Cledwyn siâp ei chorff yn nofio allan o'r goedwig, o dan drwynau'r Marach. Roedd o'n methu â diodde'r ofn, a gofidiai am Siân. Ymhen dim, roedd hithau wedi diflannu yn y dŵr, tra daliai'r Marach i sgwrsio dros yr afon, heb feddwl bod eu carcharorion yn dianc o dan eu trwynau. Roedden nhw wedi ymgolli yn eu sgwrs:

"Y peth ydi 'te," meddai un wrth y llall, "mae Arianwen yn dechrau mynd yn rhy hen erbyn hyn."

"Ti'n iawn," meddai'r llall. "A tydi ei thymer hi'n gwella dim efo oedran. Na, ti sy'n iawn. Byddai Siân yn gwneud arweinyddes wych i ni, gymaint yn well..."

Edrychodd Cledwyn ar Gili Dŵ. Doedd ganddo ddim llawer o ffydd chwaith y byddai'r cynllun hwn yn gweithio, ac roedd arno ofn na fyddai o'n gweld Gili Dŵ byth eto. Os byddai un ohonyn nhw'n cael ei ddal...

Ymestynnodd Cledwyn ei law yn fonheddig, ac ysgydwodd y ddau ddwylo. Rhoddodd Cledwyn wên fach i'w ffrind gorau, cyn cymryd anadl ddofn a phlymio'n ddistaw i mewn i'r dŵr. Nofiodd a nofiodd a nofiodd o dan y dŵr, mor ddistaw ag y gallai. Roedd y llif yn ei erbyn a gallai deimlo grym yr afon yn ceisio'i wthio'n ôl i grafangau'r Marach. Gwyddai ei fod o'n nofio o dan yr union fan ble roedd y ddwy Farach yn trafod ei chwaer, a phetaen nhw'n digwydd edrych i mewn i'r dŵr, bydden nhw'n sicr o'i weld o'n syth. Roedd o'n disgwyl teimlo'r dwylo mawr yn cydio ynddo a'i lusgo allan o'r dŵr, ond aeth yr eiliadau heibio rywsut ac roedd Cledwyn yn dal i nofio.

Brwydrodd am yn hir i ddal ei anadl, ac yn lle codi'i ben allan o'r dŵr, fe drodd ar ei fol ac anadlu trwy'i geg, fel na allai'r Marach weld ei ben yn codi uwchben y dŵr. Anadlodd yn ddwfn unwaith eto a phlymio'n ôl i'r dyfnderoedd. Roedd yn mynd ymhellach ac ymhellach oddi wrth y Marach, ond feiddiai o ddim dathlu – wedi'r cyfan, doedd ganddo ddim syniad beth oedd yn digwydd i Gili Dŵ.

Nofiodd Cledwyn fel hyn am yn hir, tan iddo flino'n llwyr. Doedd ganddo ddim syniad pa mor bell yr oedd o wedi symud, ond rhaid oedd stopio am ychydig. Nofiodd at lan yr afon i gael ei wynt ato.

"Cled!" Edrychodd i gyfeiriad y llais, a gweld Siân yn sefyll yn y dŵr a gwên fawr ar ei hwyneb. Doedd y dŵr ond yn cyrraedd ei bol, ac wrth iddo sefyll, sylweddolodd Cledwyn fod y dŵr yn llawer mwy bas fan hyn.

Roedd gweld ei chwaer yn sefyll yno, ei gwallt du'n diferu a'i ffrog o betalau'n drwm fel blodau yn y glaw, yn llenwi Cledwyn â balchder. Camodd drwy'r dŵr ac ymhen dim roedd y ddau ym mreichiau ei gilydd. Roedd Siân yn crio mewn rhyddhad a chywilydd ac am y tro cyntaf yn ei fywyd, teimlai Cledwyn yn hŷn na'i chwaer.

"Mae'n ddrwg gen i," meddai Siân drwy ei dagrau, gan ddal yn dynn yn ei brawd. "Fy mai i ydi'r cyfan. Fi oedd eisiau mynd efo'r Marach yn y lle cynta. Ro'n i'n meddwl dy fod ti'n eiddigeddus am mai fi oedd yn cael y sylw i gyd. Ti oedd yn iawn!"

"Does dim ots rŵan, Siân." Ceisiodd ymryddhau o'i breichiau ond daliai hithau i'w wasgu'n dynnach byth; roedd Cledwyn bron â mygu.

"Ddyliwn i fod wedi mynnu bod y tri ohonon ni'n aros efo'n gilydd! Roeddat ti a Gili Dŵn amlwg yn anhapus, ac ro'n i'n meddwl mai bod yn blentynnaidd roeddach chi. Ond drwy'r holl amser, roedden nhw wedi cynllwynio eich rhoi chi mewn... mewn... lobsgows!" meddai yn ei dagrau. "Fy hoff fwyd i, Cled! Mi fyswn i wedi'ch bwyta chi heb feddwl ddwywaith am y peth!"

Datgysylltodd Cledwyn ei hun o freichiau ei chwaer a chamu oddi wrthi. Roedd y ffasiwn olwg ar Siân fel na fedrai Cledwyn ddim dal dig tuag ati am fod mor ddwl.

"Yli, Siân, rhaid i ni anghofio am y cyfan, iawn?"

Snwffiodd Siân. "Sut fedri di anghofio pan..."

"Y gwir ydi, mi fyddwn i wedi gwneud yn union yr un fath. Pe bai'r Marach wedi rhoi'r un sylw i mi, mi fyddwn inna wedi bod yr un mor wirion. A falla dy fod ti'n iawn. Falla i mi fod fymryn yn genfigennus."

"Be?" Edrychodd Siân arno'n syn.

"Wel, clywed y Marach yn canmol dy groen perffaith a dy wallt sidanaidd... Ges i hen ddigon ar glywed pa mor grêt wyt ti."

"Wir?"

"Do, wir! Felly, mi fyddai'n well gen i anghofio am yr holl beth. Iawn?"

"Iawn," meddai Siân, a gwên unwaith eto'n dechrau lledu dros ei hwyneb. "Ond be am Gili Dŵ, Cledwyn? Mi ddwedais i betha mor ofnadwy..."

"Gili Dŵ!" meddai Cledwyn, a'i galon yn rhewi. "Roedd o i fod reit tu ôl i mi, dylai o fod wedi cyrraedd ers meitin. Lle mae o, Siân?"

Edrychodd y ddau i lawr yr afon. Doedd dim golwg o Gili Dŵ'n unman.

Pennod 7

Safodd Cledwyn a Siân am amser hir yn syllu ar wyneb y dŵr ac yn gweddïo y byddai Gili Dŵ'n ymddangos. Aeth munudau lawer heibio. Allai Cledwyn wneud dim ond syllu a syllu a syllu ar lif yr afon, a cheisio peidio â meddwl am yr holl bethau erchyll a allasai fod wedi digwydd i Gili Dŵ.

Trodd at Siân, wrth iddi blethu ei gwallt gwlyb rhwng ei bysedd gan edrych yn brudd iawn.

"Lle mae o, Cled?" gofynnodd Siân mewn llais bach. Ysgydwodd Cledwyn ei ben.

"Rhaid i ni fynd yn ôl, Siân. Fedrwn ni ddim ei adael o i wynebu'r Marach ar ei ben ei hun."

"Yn ôl i'r goedwig?" gofynnodd Siân, a'i llygaid fel soseri.

"Mae o wedi bod mor glên efo ni. Mae'n amser talu'r ffafr yn ôl."

Nodiodd Siân. "Dyna'r peth lleia y gallwn ni 'i wneud…"

Yr eiliad honno, cododd pen bach brown o'r dŵr rhwng Cledwyn a Siân. Sgrechiodd Siân, cyn sylwi mai Gili Dŵ oedd yno, a hwnnw'n trio cael ei wynt ato. Rhedodd Cledwyn a Siân drwy'r dŵr i'w gofleidio. Roedd Gili Dŵ wedi'i syfrdanu'n llwyr wrth gael cymaint o sylw.

"Lle rwyt ti 'di bod?" gofynnodd Siân. "Roedden ni'n meddwl bod 'na rywbeth wedi digwydd i ti!"

"Tydw i ddim yn nofiwf cfy," atebodd Gili Dŵ. "Ac mi fydach chi'ch dau wedi nofio ganwaith o'f blaen. Dwi'n feit falch ohona i fy hun 'mod i wedi nofio mof bell, a dweud y gwif."

"Rwyt ti wedi gwneud mor dda, a thithau ag ofn dŵr,"

gwenodd Cledwyn.

"Lwcus ydw i. Ddes i ddim af dfaws 'fun ysbfyd dŵf, na 'fun anghenfil chwaith. O'n i'n meddwl 'mod i wedi gweld tfychfil unwaith, ond dim ond fy adlewyfchiad fi fy hun oedd o yn y dŵf." Gwenodd Gili Dŵ o glust i glust.

"O, Gili Dŵ!" Plannodd Siân gusan fawr ar ei foch. Cochodd Gili Dŵ a gwenodd yn llydan. "Dwi mor falch dy fod ti'n iawn! Ac mae'n wir, wir ddrwg gen i am ddweud yr holl bethau cas amdanat ti. O'n i wir ddim yn meddwl 'run gair..."

"Twt twt, anghofia fo, Siân. A wif, doedd dim isho i chi boeni amdana i. Dwi'n iawn. Tip top. Ef," meddai, gan godi'i law at ei wyneb, "mae 'nghfoen i wedi cfychu. Piti na ddes i â'f potyn bach 'na o sudd malwod sy gen i adfe. Mae o'n gfêt i'f cfoen, yn ffoi fyw lyfndef anfafwol iddo. Dyna pam dwi'n edfych mof ifanc."

Gwenodd Cledwyn a Siân ar ei gilydd.

"Pa ffordd rŵan 'ta?" gofynnodd Siân. Bu pawb yn canolbwyntio cymaint ar ddianc rhag y Marach, nes iddyn nhw bron ag anghofio eu bod nhw yma i chwilio am Nain.

"Ffaid chwilio am Gwachell, y dyn doeth wneith dfoi i mewn i was y neidf pan ddaliwch chi o yn eich dwylo," meddai Gili Dŵ.

"Ond dwi'n meddwl y byddai'n well i ni fynd yn ddigon pell oddi wrth y Marach yn gynta. Waeth i ni weld be sydd yr ochr arall i'r mynydd yma, " meddai Siân.

Dechreuodd y tri nofio'n hamddenol tuag at droed y mynydd. Mwynheai Cledwyn y daith, er y gallai deimlo'i hun yn blino. Doedd y dŵr ddim yn oer mwyach, gan fod heulwen y prynhawn yn tywynnu'n gryf uwch eu pennau. Wrth nofio, meddyliodd Cledwyn pa mor ddewr roedd o wedi bod. Gwelodd sefyllfaoedd dychrynllyd ac roedd wedi'u gwynebu heb grio na rhedeg i ffwrdd. Ond gwyddai hefyd na allai orffwys yn gyfan gwbl. Wedi'r cyfan, roedden nhw dal yng Nghrug, a gallai unrhywbeth fod yn eu haros yn y wlad ryfeddol hon.

Yr eiliad honno, clywodd Cledwyn sŵn clychau'n llenwi'r awyr, yn uchel ac yn glir. Roedd o'n gymaint o sioc i Cledwyn yn nhawelwch y dydd nes iddo stopio nofio. Trodd Siân a Gili Dŵ i edrych yn ôl arno.

"Wyt ti'n iawn?" gofynnodd Siân.

"Wedi blino af nofio wyt ti? Dwi'n dechfa cael blas afno fo fŵan..."

Doedd Siân na Gili Dŵ'n amlwg ddim yn clywed y clychau. Dywedodd Cledwyn wrthyn nhw nad oedd dim o'i le, dim ond ei fod wedi cymryd hoe, a pharhaodd y tri i nofio. Ymhen ychydig, tawodd y clychau a doedd dim sŵn i'w glywed heblaw am sisial yr afon. Gwnâi'r holl beth i Cledwyn bendroni. Oedd y clychau'n bod go iawn neu oedd o'n dechrau gwallgofi? Roedd y clychau bellach yn ei boeni.

Ymhen ychydig, daeth y tri at droed y mynydd a doedd dim posib nofio rhagor. Neidiodd y tri i'r lan, gan eistedd am ychydig ac edrych yn ôl ar hyd llwybr yr afon yn ymdroelli yn y dyffryn. Rhyfeddent iddynt nofio mor bell, ac edrychai coedwig y Marach yn fechan ac yn ddibwys yn y pellter. Roedd hi'n saff cerdded rŵan. Fyddai'r Marach ddim yn gallu eu gweld o'r pellter hwn.

"Ydach chi'n meddwl bod y Marach yn dal i chwilio amdanan ni?" gofynnodd Siân.

Gwenodd Gili Dŵ. "Maen nhw'n dal i sefyll o gwmpas y

goedwig, yn afos am ei lobsgows."

Chwarddodd y tri. Roedd hi'n hyfryd gallu chwerthin unwaith eto, meddyliodd Cledwyn, yn enwedig wrth ddychmygu gweld y Marach yn chwilio amdanynt.

"Mae'n siŵr eu bod nhw'n dal i drafod sut mae creu pâr o sbectols, neu sut y gallan nhw gael gwallt du," meddai Cledwyn dan chwerthin. "Wyt ti'n meddwl mai defnyddio glo fyddai'r syniad gorau i greu'r lliw?" Dynwaredodd Cledwyn lais uchel y Marach. "Neu falla bysa mwd a glud yn gweithio'n well!'"

"Os gwna i'f sbectols allan o bfen, wyt ti'n meddwl y byddan nhw'n fwy tebyg i sbectols Siân?" meddai Gili Dŵ mewn llais uchel, merchetaidd.

Chwarddodd y tri cyn ailddechrau cerdded, gan ddilyn gwely'r afon i fyny'r mynydd, yn dal i chwerthin bob nawr ac yn y man a hwythau'n dychmygu gweld y Marach efo mwd yn eu gwallt a phâr o sbectols pren ar eu trwynau.

Wrth iddynt gerdded, cynhesodd yr haul a dechreuodd Cledwyn chwysu o dan ei siwt o ddail. Sychodd yr haul ddillad pawb mewn dim o dro, ond roedd y mynydd serth yn anodd i'w ddringo yn y ffasiwn wres.

"Ylwch!" meddai Siân, gan bwyntio at goeden yn tyfu ychydig yn bellach i fyny'r mynydd, ar lan yr afon. Roedd hi'n olygfa od, gan nad oedd yr un goeden arall ar yr holl fynydd. Edrychai'r goeden hon yn unig ac yn rhyfedd ar ei phen ei hun. Wrth iddynt nesáu, gwelodd Cledwyn fod pethau crwn yn hongian wrth ganghennau'r goeden. Dechreuodd redeg nerth ei draed tuag ati, gyda Siân a Gili Dŵ'n ei ddilyn yn agos y tu ôl iddo.

"Gellyg!" meddai Siân yn llawn cyffro. Dechreuodd y tri dynnu'r ffrwythau oddi ar y canghennau, ac ymhen ychydig roedd eu breichiau'n llawn o ellyg gwyrddion. Eisteddodd y tri yng nghysgod y goeden cyn plannu eu dannedd yn y ffrwythau melys.

Pan fyddai Nain yn prynu gellyg mewn siop, anaml y byddai Cledwyn yn eu bwyta, a chaent eu gadael yn y fowlen ffrwythau nes iddynt droi'n frown ac yn grychlyd. Wedyn, rhaid fyddai eu taflu i'r bin. Ond roedd y gellyg yma'n hollol wahanol. Roeddent yn felys, yn llawn sudd ac mor flasus fel y sglaffiodd Cledwyn un ar ôl y llall. Gwnâi Siân a Gili Dŵ'n union yr un fath, a rhedai diferion o sudd i lawr eu genau gan ddripian ar eu dillad. Doedden nhw ddim hyd yn oed yn gadael calon y ffrwythau ar ôl, ond yn hytrach yn llowcio'r cyfan.

Mae'n rhaid bod Cledwyn wedi bwyta deg gellygen cyn iddo orwedd yn ôl yn y glaswellt. Roedd ei fol mor llawn nes bod arno ofn y byddai'n byrstio. Rhoddodd Siân a Gili Dŵ'r gorau i fwyta hefyd, a gorweddodd y tri yng nghysgod y goeden, eu hwynebau a'u bysedd yn wlyb gan sudd y gellyg.

"Dwi'n teimlo'n sâl," meddai Siân. "Dwi 'di bwyta llawer gormod."

"A fi," meddai Cledwyn yn ddioglyd. "Dyna'r ffrwythau hyfryta i mi eu blasu erioed."

"Tydw i 'fioed wedi blasu dim byd tebyg," meddai Gili Dŵ'n freuddwydiol. "Mof felys... Dwi'n meddwl y gallwn i wneud cawl neis iawn efo'f gellyg."

"Paid â sôn am gawl, wir," meddai Siân. "Rhag ofn i mi deimlo'n salach fyth."

Gyda'u boliau'n llawn a'r haul yn boeth uwch eu pennau, dechreuodd Cledwyn, Siân a Gili Dŵ deimlo'n gysglyd. Ymhen ychydig, daeth sŵn rhochian uchel o gyfeiriad Gili Dŵ – roedd o'n chwyrnu'n braf. Trodd Cledwyn a gweld bod Siân hefyd yn cysgu'n drwm wrth ei ymyl. Caeodd Cledwyn ei lygaid a daeth cwsg fel ton drosto. Y peth olaf a ddaeth i'w feddwl cyn cysgu oedd pa mor hapus y teimlai yn y fan hyn, gyda Siân a Gili Dŵ wrth ei ymyl, ei fol yn llawn a'r afon gerllaw yn sisial yn dawel. Cysgodd Cledwyn gyda gwên ar ei wyneb.

Credai Cledwyn ei fod o'n dal i freuddwydio. Agorodd ei lygaid a dylyfu gên. Bu'n breuddwydio am rywbeth, ond allai o ddim cofio'n iawn. Roedd o wedi bod o dan y dŵr – ia, dyna fo – ac roedd y lleisiau harddaf yn y byd wedi bod yn canu iddo.

Ond roedd o'n effro rŵan, ac roedd y lleisiau'n dal i ganu.

Cododd Cledwyn ar ei eistedd. Roedd Gili Dŵ a Siân yn dal i gysgu, er bod Gili Dŵ wedi stopio chwyrnu erbyn hyn. Gwrandawodd Cledwyn yn astud.

Deuai'r lleisiau o gyfeiriad yr afon – a'r sŵn yn ysgytwol o hyfryd, fel mil o leisiau tawel yn canu'r harmoni harddaf yn y byd. Er na allai Cledwyn ddeall y geiriau gan nad oedd o'n gallu eu clywed yn ddigon da, eto i gyd roedd e'n siŵr bod 'na eiriau i'r alaw. Dechreuodd gropian tuag at yr afon er mwyn gallu eu clywed yn well. Edrychodd i gyfeiriad yr afon a chael ei siomi gan nad oedd dim i'w weld, eto i gyd swniai'r canu fel petai'n dod o ddyfnderoedd y dŵr. Cawsai Cledwyn ei hudo'n llwyr, ac ysai am gael clywed y gân. Symudodd Cledwyn yn agosach at y dŵr... Fymryn yn agosach... Dim ond er mwyn cael clywed geiriau'r gân yn well...

Pan dynnodd Siân ei brawd yn ôl gerfydd ei goler, deffrodd Cledwyn o'i swyn ac eisteddodd ar lan yr afon, wedi'i ddychryn yn llwyr. Gwyddai y byddai wedi plymio i mewn i'r dŵr er mwyn gallu mwynhau gwrando mwy ar y gân, ac y byddai wedi aros o dan y dŵr i'w chlywed yn ei chyfanrwydd.

"Be wyt ti'n wneud?" meddai Siân yn flin. "Mi fysat ti wedi gallu boddi!"

"Shhh," meddai Cledwyn, gan roi ei fys dros ei wefusau. Roedd yr afon yn dal i ganu'n fwyn. "Ydych chi'n clywed y gân yna? Mi ges i fy hudo ganddi... a hithau'n codi o dan y dŵr..."

"O diaf," meddai Gili Dŵ, gan syllu'n ofidus ar Cledwyn. "O'n i'n gwybod y byddai hyn yn digwydd! Mae afonydd Cfug yn llawn ysbfydion, yn bafod i dfio'ch hudo chi i mewn i'f dŵf... Dyliwn i fod wedi'ch ffybuddio..."

"Ond... dydach chi ddim yn deall? Hei, Gili Dŵ, be oedd y gwpled fach wirion 'na ma angen ei hadrodd er mwyn galw ar Gwachell?"

"Ym..." crafodd Gili Dŵ ei ben. "Fydw i'n meddwl mai 'Defe yma i godi 'nghalon, defe Gwachell, at yf afon' ydi o. Ond alla i ddim gweld..."

Cododd Siân ar ei thraed. "Mi ddwedaist ti, Gili Dŵ, fod Gwachell yn byw ar lan afon sy'n canu, hanner ffordd i fyny'r mynydd. A dyma ni!" Roedd Siân wedi'i chyffroi'n llwyr. "Yr unig beth sy'n rhaid i ni ei wneud rŵan ydi chwilio am was y neidr! Unwaith y byddan ni'n ei ddal o yn ein dwylo, mi fydd o'n troi i fod yn Gwachell, ac mi ddywed o wrthan ni sut i ddod o hyd i Nain!"

Ar y gair, sylwodd Cledwyn a Gili Dŵ fod smotyn bach yn hedfan drwy'r awyr tuag ati. Tyfodd y smotyn yn fwy ac yn fwy tan i Cledwyn a Gili Dŵ sylweddoli beth oedd o. Roedd ei adenydd sgleiniog fel gwydr lliwgar, yn biws a glas a gwyrdd. Hedfanodd gwas y neidr yn syth at Siân a glanio ar ei phen.

Doedd dim syniad ganddi fod yr union greadur y bu hi'n chwilio amdano yn eistedd yn gyfforddus yn ei gwallt.

"Ydach chi am fy helpu i chwilio 'ta?" gofynnodd Siân gan ochneidio. "Mi wn i na fydd o'n hawdd dod o hyd iddo, ond waeth i ni ddechra chwilota rŵan ddim." Edrychodd ar Cledwyn a Gili Dŵ. "Neu ydach chi'n bwriadu sefyll yna â'ch cega chi fel pysgod drwy'r dydd?"

Yn araf, pwyntiodd Cledwyn at was y neidr ar ei phen. Lledodd llygaid Siân wrth iddi sylweddoli, a chododd ei dwylo'n araf i geisio dal y pryfyn. Ond cododd hwnnw a hedfan i ffwrdd yn hamddenol, yn syth i gyfeiriad Cledwyn. Glaniodd y pryfyn yn dwt ar ei foch. Doedd mo'i ofn ar Cledwyn, er ei fod o'n deimlad eithaf od cael pryfyn mor fawr yn gorffwys ar ei wyneb. Camodd Gili Dŵ'n araf tuag ato, ac mewn un symudiad chwim, daliodd yntau'r gwas y neidr rhwng ei ddwylo.

Ni ddigwyddodd unrhyw beth am ychydig eiliadau, a dechreuodd Cledwyn feddwl eu bod nhw wedi dal y pryfyn anghywir. Daeth gwaedd sydyn o enau Gili Dŵ.

"Aaaaw!" meddai, gan daflu'r pryfyn ar y glaswellt a syllu ar ei law. "Mi wnaeth o 'mfathu i!"

Cyn i neb gael cyfle i ymateb, daeth sŵn pop o gyfeiriad y pryfyn, fel sŵn swigen gwm cnoi yn cael ei byrstio. Lle bu'r gwas y neidr, roedd yno ddyn tal yn eistedd.

Disgwyliai Cledwyn weld rhywun doeth yr olwg, gyda barf laes, wen, a het â phig am ei ben. Doedd Gwachell yn ddim byd tebyg i'r darlun hwnnw. Syllodd arno wrth iddo godi ar ei draed a brwsio'r glaswellt oddi ar ei ddillad.

Roedd Gwachell yn dal iawn, yn dalach nag unrhyw un a welsai Cledwyn cyn hynny. Wyneb hir, main oedd ganddo, a llygaid llwyd blinedig yr olwg. Roedd ei freichiau a'i goesau hefyd yn hir ac yn fain, a gwisgai het henffasiwn oren am ei ben. Ond ei siwt a dynnai'r sylw fwyaf. Roedd hi'n llawer yn rhy fach iddo, y breichiau a'r coesau fodfeddi'n rhy fyr. Blodau amryliw ar gefndir oren oedd y defnydd. Cawsai Cledwyn ei ddallu bron, wrth weld yr holl liwiau llachar. Am ei draed, gwisgai Gwachell bâr o sgidiau oren llychlyd a hen yr olwg.

Syllodd Gwachell ar Gili Dŵ heb wenu. Bu tawelwch am ychydig, a theimlodd Cledwyn fod yn rhaid i rywun gychwyn sgwrs.

"Ym..." dechreuodd yn ansicr. "Helô, Gwachell."

Thynnodd Gwachell mo'i lygaid oddi ar Gili Dŵ, a dywedodd wrtho, "Ro'n i ar fin syrthio i gysgu cyn i beth bach dwl fy neffro i."

"Wel, sofi," meddai Gili Dŵ'n nerfus. "Ond oedd wif angen fy mfathu i fel'na?"

"Gymaint o ffws am frathiad bach chwareus! Mae hi'n digwydd bod yn anghyfleus. Mae'n well gen i fod yn bryfyn bach na'ch helpu chi efo rhyw hen strach."

"Ydach chi wastad yn siarad fel'na, Gwachell?" gofynnodd Siân, gan godi un o'i haeliau'n amheus.

Trodd ei olygon at Siân a gwenodd yn fonheddig. "Hyfryd a hardd a theg yw Siân, ei gwallt fel plu sidanaidd brân."

"Sut ydach chi'n gwybod fy enw i?" gofynnodd hithau gan blethu ei breichiau. Anwybyddodd Gwachell ei chwestiwn a throdd yn ôl at Gili Dŵ.

"A Gili Dŵ, heb ffrind o hyd. Trio helpu pawb drwy'r byd." Cochodd Gili Dŵ a gwylltiodd Cledwyn wrth weld y dyn od yma'n codi cywilydd ar ei ffrind.

"Mae gan Gili Dŵ ffrindiau: ni! – ac mae o'n ardderchog am helpu pobol, diolch yn fawr."

Trodd Gwachell at Cledwyn a syllu arno am amser hir. Gwenodd yn araf gan wneud i Cledwyn deimlo'n eitha anghyfforddus.

"Cledwyn, ei wallt yn flêr ac yn goch, a'i ben o'n llawn o sŵn hen gloch."

Syllodd Cledwyn ym myw llygad Gwachell. Roedd arno ychydig o ofn y dyn tal yma a wyddai bob dim am bawb.

"Tydi hynna ddim hyd yn oed yn gwneud synnwyr," meddai Siân gan ochneidio. "Y cyfeiriad at y gloch. Mae'n rhaid i mi ddweud, tydach chi ddim yn fardd da iawn, nac ydach?"

"Mae'n *rhaid* i ti ddweud hynna, oes? Gŵyr Cled yn iawn 'mod i'n tynnu coes." Winciodd Gwachell cyn troi at y goeden a thynnu gellygen oddi ar un o'r brigau.

"Rydan ni angen help," meddai Cledwyn. "Mae Nain wedi…"

"Gwyddfid bach ar goll yn llwyr, yn ysu am weld ei hwyres a'i hŵyr," cymerodd Gwachell gegaid o'r ellygen a'i chnoi'n araf.

"Ia! Gwyddfid ydi enw Nain!" gwaeddodd Cledwyn.

"Cledwyn, cyn i ni fynd dim pellach, wyt ti wedi anghofio am rywun arall?"

Edrychodd Cledwyn ar Siân a Gili Dŵ, ond roedd y tri mewn penbleth llwyr.

Ochneidiodd Gwachell. "Mae gen ti gyfaill yn dy boced. Ffrind bach gest ti gan y merched!"

"Y merched? Y Marach, 'dach chi'n feddwl? O!" meddai Cledwyn, gan gofio'n sydyn. Estynnodd Cledwyn y jar o'i boced. Roedd o wedi anghofio'n llwyr am y Cnorc. Stranciai'r creadur bach a chwifio'i freichiau, yn amlwg yn gandryll fod Cledwyn wedi anghofio amdano cyhyd.

"Un o'r dynion bach gwneud golau 'na?" meddai Siân, gan graffu i mewn i'r jar. "Pam ddoist ti â hwnna efo ti, yr holl ffordd o'r goedwig?"

"Tydw i'm yn siŵr," atebodd Cledwyn. "Mi fuodd o'n help mawr i ni wrth ddelio gyda'r Marach. Ac mi fyddwn ni angen golau, 'yn byddwn?"

"Ond mi ddywedodd y Marach eu bod nhw'n ofnadwy o beryglus. Mi ddywedodd Arianwen eu bod nhw'n siŵr o dy ladd di os agori di'r jar – dy frathu di ac unrhyw un arall sydd o'u cwmpas. Mae brathiad hwn mor wenwynig, mi fyddai'n dy ladd di mewn eiliadau."

Edrychodd pawb ar y Cnorc yn y jar, a siglai ei ben mewn anghytundeb llwyr. "Rwyt ti'n lwcus na wnaeth y jar dorri yn dy boced di," meddai Siân. "Mi fasa fo siŵr o fod wedi dy frathu di."

"Tydw i ddim mof siŵf, wyddost ti, Siân," meddai Gili Dŵ. "Mae o wedi bod yn gymaint o help. Ei syniad o oedd i ni ddfingo'f coed i guddiad ffag y Mafach."

Meimiodd y Cnorc ei fod yn tynnu het a moesymgrymodd.

"Wel rŵan, Siân, Cled a Gili Dŵ, mae'n amser i mi ddweud tŵdl-ŵ! Mae'n bryd i chithau barhau â'ch taith, felly ta ta! Ewch! Cerwch rŵan! Ymaith!" Cyffyrddodd Gwachell ym mhig ei het yn fonheddig.

"Arhoswch funud!" gwaeddodd Siân. "Tydach chi heb ddweud wrthan ni ble mae Nain eto!"

Chwarddodd Gwachell yn ysgafn. "O diar mi, fy ngeneth fach gain! Tydw i erioed wedi gweld eich nain!"

"Ond... ond... chi ydi Gwachell!" meddai Gili Dŵ, wedi dychryn. "Gwachell yf hollwybodus! Gwachell sy'n ddoethach nag unffyw un!" Cododd Siân un o'i haeliau'n amheus wrth glywed hyn. "Mae'n ffaid bod ganddoch chi syniad..."

"Mae gen i sawl syniad am lawer peth, ond mae'r cwestiwn bach yma'n achosi penbleth..." Crafodd Gwachell ei ên yn feddylgar.

"Plîs, Gwachell," meddai Cledwyn yn dawel. "Rydan ni wedi dod mor bell, ac wedi bod mewn cymaint o berygl. Chi ydi ein hunig obaith ni."

"Am fod Cledwyn yn erfyn mor daer, mi rof i arweiniad iddo fo a'i chwaer." Caeodd Gwachell ei lygaid yn dynn, fel petai'n hel ei feddyliau'n ofalus, ofalus. "Mae'r ateb mewn ogof yr ochr arall i'r bryn, ond cyn i chi fyned, mi ddyweda i hyn: Mae perygl yn agosáu dros y gorwel. Mae'r fan hyn ymhell o fod yn ddiogel."

"Mewn ogof! Yr ochr arall i'r bryn!" Gwenodd Siân yn llawn cyffro. "Diolch Gwachell, diolch yn fawr! Dewch 'ta, mi fyddwn ni yno mewn... Cledwyn? Be sy'n bod?"

Syllai Cledwyn ar Gwachell. Gwenodd yntau ar Cledwyn, ei geg yn llawn gellyg.

"Beth rwyt ti'n feddwl, Gwachell? Bod perygl yn agosáu?"

Cydiodd Siân ym mraich ei brawd a'i lusgo i ffwrdd yn ddiseremoni. "Mae hi'n beryglus ymhob man yma yng Nghrug, Cled! O, ty'd yn dy flaen wir!"

"Na!" Tynnodd Cledwyn ei fraich yn ôl o grafangau ei chwaer. "Dwi am wybod yn union beth ydi'r perygl."

"Mi ei di'n bell, mi rwyt ti'n drylwyr ac yn eiddgar. Cledwyn bach, rwyt ti mor glyfar." Sychodd Gwachell sudd gellyg oddi ar ei ên.

"Brysiwch 'ta!" meddai Siân, gan rolio'i llygaid. "Be ydi'r perygl mawr 'ma?"

Pwyntiodd Gwachell y tu ôl iddyn nhw, i gyfeiriad coedwig y Marach. Trodd Cledwyn, Siân a Gili Dŵ a chraffu i'r pellter.

Roedd llinell hir o geffylau'n carlamu'n gyflym mewn rhes tuag at droed y mynydd, tua milltir o ble roedden nhw'n sefyll. Suddodd calon Cledwyn wrth weld bod pen o wallt golau, sgleiniog gan bob un o'r marchogion.

"Mafach," meddai Gili Dŵ, a'i lais yn crynu. "Mae'f Mafach yn dod."

"Dowch! Rhedwch!" gwaeddodd Siân. "Os awn ni i gyfeiriad yr ogof, mi fyddan ni'n siŵr o ddod o hyd i le i guddio!"

Dechreuodd y tri redeg nerth esgyrn eu coesau, heb wybod yn iawn i ble roedden nhw'n mynd. Cledwyn oedd yr unig un wnaeth droi a chodi'i law ar Gwachell. "Diolch!" gwaeddodd, â'i wynt yn ei ddwrn.

"Tŵdl-ŵ, Cledwyn bach! Cofiwch fi at y Marach!" Chwarddodd Gwachell cyn newid yn ôl i fod yn was y neidr unwaith eto.

Rhedodd Cledwyn, Siân a Gili Dŵ am chwarter awr a mwy. Gili Dŵ oedd y cyntaf i stopio. Baglodd dros ei draed a methodd godi oherwydd ei fod mor flinedig.

"Ewch chi," meddai'n ddewr a dagreuol. "Gadewch chi fi yn fa'ma."

"Paid â bod yn wirion," meddai Siân. "Mi wnawn ni dy gario di. Ty'd, Cled…"

"Na," meddai Cledwyn gan ysgwyd ei ben. "Does 'na ddim pwynt. Mae'r Marach yn llawer cyflymach na ni, a does unman i guddio yma."

Roedd y mynydd yn greigiau moel, heb goed nag unrhyw dyfiant, a doedd dim golwg o'r ogof y bu Gwachell yn sôn amdani. Wrth edrych i lawr, gallai Siân a Cledwyn weld bod y Marach bellach yn agos iawn atynt.

"Wel, mi wnawn ni gwffio yn eu herbyn nhw!" meddai Siân yn wyllt. "Rhaid i ni wneud yn siŵr na fyddan nhw'n ennill!"

"Tfi ohonon ni yn efbyn llwythi ohonyn nhw?" ebe Gili Dŵ. "Mae gen i deimlad fod y Mafach am gael lobsgows blasus iawn heno, wedi'f cyfan."

Teimlai Cledwyn gymysgfa o ofn ac anobaith yn cronni yn ei fol. Ymhen munudau, byddai'r Marach wedi'u dal ac ni fyddai gan y tri ffrind unrhyw obaith. Ceisiodd ei orau i drio meddwl am ryw gynllun clyfar, ond ddaeth yr un fflach o weledigaeth iddo. Roedd yn torri'i galon wrth feddwl iddyn nhw ddod mor bell, ar ôl bod mor glyfar a dewr, ac wrth iddyn nhw agosáu at Nain, hwythau'n cael eu dal a'u bwyta.

Sylweddolodd Cledwyn fod cyffro yn y jar yn ei ddwylo. Curai'r Cnorc yn wyllt ar y gwydr unwaith eto. Wedi iddo lwyddo i dynnu sylw Cledwyn, pwyntiodd y Cnorc at dop y jar ac erfyn ar Cled i'w adael o'n rhydd.

"Dim rŵan!" meddai Cledwyn, gan drio chwilio unwaith eto am unrhyw fflach a allai achub y tri. Parhaodd y Cnorc i guro'n ddi-baid.

"Dwi'n eu clywed nhw," meddai Siân gyda chryndod yn ei llais. Clustfeiniodd Cledwyn. Roedd sŵn carlamu'r ceffylau yn ymyl. Dechreuodd Cledwyn grynu.

"Rho'r gorau iddi!" meddai Cledwyn, gan edrych i lawr ar y Cnorc, a ddaliai i guro. Ac yn sydyn iawn, deallodd Cledwyn. Doedd dim amser i'w wastraffu.

"Siân," gwaeddodd Cledwyn ar ei chwaer, a oedd bellach yn llwyd ei gwedd wrth syllu ar y ceffylau'n agosáu. "Gorwedda i lawr. Rŵan!"

"Pam?"

"Dwi am adael y Cnorc allan o'r jar. Rydan ni am smalio ei fod o wedi'n brathu ni a'n lladd ni. Pan ddaw'r Marach, mi fyddan nhw'n meddwl ein bod ni wedi cael ein gwenwyno!"

Aeth Cledwyn ati i agor y jar.

"Afos funud!" meddai Gili Dŵ, a ddaliai i orwedd ar lawr. "Be os gwneith o'n bfathu a'n lladd ni go iawn? Be os..."

"Dyma'r unig ddewis sydd ganddon ni!" meddai Cledwyn yn daer wrth glywed y ceffylau yn ymyl. "Dwi'n ymddiried yn llwyr yn y Cnorc. Gorweddwch i lawr, a pheidwch â symud modfedd!"

Gorweddodd Siân ar ei bol a chau ei llygaid. Ochneidiodd Gili Dŵ'n ofidus cyn gorwedd. Agorodd Cledwyn y jar yn araf, gan syllu ar y Cnorc yn gwneud dawns fach o lawenydd wrth feddwl am gael ei ryddhau.

"Plîs paid â'n brifo ni go iawn," sibrydodd Cledwyn, cyn tynnu'r caead oddi ar y jar a'i osod ar lawr. Camodd y Cnorc allan ar y glaswellt a chymryd llond bol o anadl ffres. Gorweddodd Cledwyn ar ei fol, a chau ei lygaid yn dynn. Carlamai calon Cledwyn fel carnau'r ceffylau. Roedd o'n amheus a fyddai ei gynllun yn gweithio – naill ai byddai'r Marach yn sylweddoli'n syth mai smalio roedd Cledwyn, Siân a Gili Dŵ, neu byddai'r Cnorc yn eu brathu a'u gwenwyno nhw go iawn.

Clywodd Cledwyn y ceffylau'n aros wrth eu hymyl, ac yna'n stopio. Ceisiodd ei orau i beidio â chodi a gostwng ei fol wrth anadlu, rhag ofn i'r Marach sylwi. Clywodd draed yn disgyn oddi ar y ceffylau.

"Siân!" meddai un o'r Marach yn ddagreuol. "Mae Siân wedi... wedi..."

"Siaaaaaaaan!" Daeth gwaedd dorcalonnus o rywle a gwyddai Cledwyn mai Arianwen oedd biau'r sgrech honno. Clywodd sŵn traed yn rhedeg at ei chwaer a lleisiau'n mwmial yn annaearol. Swniai'r Marach fel côr yn crio o gwmpas Cledwyn, ac roedd eu clywed nhw mor agos ato'n gwneud i Cledwyn barlysu gan ofn.

"Sut?" Roedd llais Arianwen yn awdurdodol a chaled, yn hollol wahanol i'r gweiddi prudd. Safai Arianwen ar ei thraed yn ymyl Cledwyn, fel y gallai o ei chlywed hi'n anadlu. "Sut mae'r tri yma wedi disgyn yn farw ar yr un pryd, yn yr un lle? Mae rhywbeth yn od am hyn i gyd..."

"Gwynt gwenwynig? Falla iddyn nhw weld ysbryd, a'u bod nhw wedi marw o ofn." Gallai Cledwyn glywed llawer o'r Marach yn snwffian crio ac yn sibrwd enw Siân drwy eu dagrau.

"Na," meddai Arianwen. "Tydi hyn ddim yn iawn..." Aeth ias i lawr asgwrn cefn Cledwyn. Roedd o'n sicr bod Arianwen ar fin dyfalu nad oedd dim byd yn bod arnyn nhw go iawn.

"Edrychwch!" gwaeddodd un o'r Marach. " Y jar!"

"Tyrd â hwnna 'ma!" gwaeddodd Arianwen. "Jar y Cnorc ydi hi. Mae un ohonyn nhw wedi'i hagor!"

Clywodd Cledwyn nifer o'r Marach yn ebychu ar ôl clywed hyn.

"Nid y Cnorc!" meddai un o'r Marach.

"Mi ddwedais i wrth Cledwyn eu bod nhw'n wenwynig," meddai un arall. "Roedd o'n eistedd wrth fy ymyl i yn y wledd ac roedd o'n holi..."

"O, Siân! Marwolaeth drwy frathiad Cnorc! Mor annheg!" meddai Arianwen yn dawel, cyn ochneidio. "Reit, dyna ddigon!

Dewch wir. Does 'na fawr o bwynt i ni aros yn fa'ma. Does dim byd y gallwn ni ei wneud i Siân rŵan."

Bu bron iawn i Cledwyn roi ochenaid o ryddhad.

"Arianwen?" gofynnodd un o'r Marach. "Gawn ni fynd â nhw efo ni er mwyn eu cael i swper?" Rhewodd calon Cledwyn. "Tydan ni heb gael cig da fel hyn ers tro."

"Paid â bod mor dwp," atebodd Arianwen yn swta. "Allwn ni mo'u bwyta nhw. Maen nhw'n llawn gwenwyn!"

"Ond... be am Siân? Allwn ni ddim mynd â hi? Mae hi mor hardd."

"Fedrwn ni dorri'i gwallt hi a mynd â fo efo ni?" holodd un arall o'r Marach, "a mynd â'i sbectol hi hefyd?"

"I be?" gofynnodd Arianwen.

"Er mwyn i ni gael rhywbeth i gofio amdani."

Bu tawelwch am ennyd. Roedd ei galon yn curo mor galed fel bod arno ofn y byddai'r Marach yn gallu ei chlywed.

"Peidiwch â bod mor dwp. Byddai gwneud y ffasiwn beth yn dangos diffyg parch mawr at Siân," meddai Arianwen yn filain. "Dewch, mae'n bryd i ni adael."

Wrth i Cledwyn glywed y Marach yn dringo ar gefn eu ceffylau, bu bron iddo ddangos ei deimladau, cymaint oedd ei ryddhad.

"Arhoswch funud," meddai un o'r Marach. "Ym... tydw i ddim yn siŵr sut mae deud hyn... ond, mae'n rhaid i mi holi bellach. Pam mai chi ydi'r bòs?"

"Be?" gwichiodd Arianwen yn flin. "Pwy wyt ti'n meddwl wyt ti'n ymddwyn mor hy efo fi? Wna i ddim dioddef unrhyw ferch yn ymddwyn mor ddigywilydd! Ti, yr hen un haerllug, fydd ein swper ni heno!"

Bu tawelwch am eiliad cyn i un arall o'r Marach ychwanegu, "Dwi'n cytuno efo hi, Arianwen. 'Dach chi 'di bod mor flin yn ddiweddar."

"Do," cytunodd un arall. "Wastad yn dweud wrthan ni beth i'w wneud. Yn cwyno ein bod ni'n dwp ac yn ddiwerth."

Clywodd Cledwyn leisiau'r Marach eraill yn cytuno, a cheisiodd ddychmygu sut olwg oedd ar wyneb Arianwen wrth i'r Marach droi yn ei herbyn.

"Be 'dach chi'n feddwl?" holodd Arianwen. Credai Cledwyn iddo glywed tinc o ansicrwydd yn ei llais. "Ydach chi am gael gwared arna i?"

Sibrydodd y Marach ymysg ei gilydd, cyn i un ohonynt ddweud, "Na, ond meddwl oeddan ni, oes angen arweinydd ar y Marach mewn gwirionedd? Pam na chawn ni wneud y penderfyniadau ar y cyd?"

"Dim arweinydd?" gofynnodd Arianwen. "Ond mae'n rhaid i mi fod yn arweinydd! Dyna dwi 'di wneud erioed! Allwch chi ddim..."

"Rydan ni wedi bod yn meddwl ymhlith ein gilydd, ac... wel... mae'n rhaid bod mwy i fywyd na lladd a brifo a hela, a ballu. Mae o'n iawn weithia, ond ddim drwy'r amser – mae o mor ddiflas."

"Ond be wnewch chi drwy'r dydd heblaw lladd a hela?" gofynnodd Arianwen yn syn.

"Tydan ni ddim yn siŵr. 'Dan ni'n trio dilyn esiampl Siân, 'dach chi'n gweld... Roedd hi'n hapus, er ei bod hi'n gyfeillgar a chlên."

"A dweud y gwir," meddai un arall o'r Marach, "doedd Cledwyn na'r peth bach 'na ddim mor ddrwg â hynny, chwaith."

"Peidiwch â bod yn wirion!" poerodd Arianwen ei geiriau. "Roedden nhw'n hogia!"

"Dyna i chi beth arall," meddai un o'r lleill. "'Dan ni'n deall bod y Marach yn draddodiadol i fod i gasáu hogiau, ond 'dan ni ddim cweit yn siŵr pam."

"Achos mai hogiau ydyn nhw!" gwichiodd Arianwen. "Maen nhw'n... Roedden nhw..."

"Does dim un rheswm go iawn, yn nac oes? Mae o braidd yn annheg."

"Lol botas maip!" gwaeddodd Arianwen. "Wnaeth Cledwyn na'r peth bach od yna ddim ymddiried ynddon ni o gwbwl..."

"Digon teg, a bod yn onest. Wedi'r cyfan, mi roeddan ni'n bwriadu eu bwyta nhw."

"Dewch wir, awn am adre," meddai un arall. "Ond wnawn ni ddim anghofio Siân. Mae gwersi i'w dysgu o hyn i gyd."

Dechreuodd y ceffylau adael yn araf, heb i'r un o'r Marach ychwanegu gair pellach. Gorweddodd Cledwyn yn chwys drosto, gan ddal ei lygaid ynghau. Roedd o'n methu coelio eu bod nhw'n saff, a bod ei gynllun o wedi llwyddo. Ar ôl rhyw bum munud, daeth sŵn galarus o'r pellter. Roedd y Marach yn canu eu caneuon od, hudol wrth deithio tuag adref. Teimlai Cledwyn y gerddoriaeth ym mêr ei esgyrn, y lleisiau mor bur a hyfryd. Agorodd ei lygaid yn araf. Roedd Siân a Gili Dŵ eisoes yn eistedd yn dawel. Cododd Cledwyn ar ei eistedd a gweld bod y Marach wedi diflannu i lawr y mynydd. Syllodd Cledwyn ar ei chwaer a'i ffrind gorau.

"Dwi'n meddwl ein bod ni'n saff," meddai Cledwyn. Bron na allai gredu ei eiriau ei hun. "Maen nhw wedi gadael."

"Glywsoch chi nhw'n tfoi af Afianwen? Fo'n i bfon â neidio

i fyny af fy nhfaed ac ysgwyd llaw efo pob un wan jac ohonyn nhw," meddai Gili Dŵ gan wenu.

"Dwi'n falch na wnest ti," oedd ymateb Cledwyn.

"Druan ohonyn nhw," meddai Siân yn fyfyriol.

"Be?" gofynnodd Cledwyn yn syn. "Glywaist ti mohonyn nhw'n trafod a oedd hi'n saff i'n bwyta ni i swper?"

"Dim ond achos mai dyna maen nhw wedi arfer ei wneud," atebodd Siân yn ddoeth. "Tydyn nhw'n amlwg ddim yn hapus gyda'r ffordd maen nhw'n byw."

Gwgodd Cledwyn. Roedd o'n ei chael hi'n anodd iawn teimlo unrhyw beth ond dicter tuag at y Marach. Sylwodd Siân ar yr olwg ar wyneb ei brawd ac ochneidiodd yn uchel.

"Y cyfan dwi'n ddweud ydi bod pobol yn gwneud pethau dwl pan fyddan nhw mewn torf. Mae'r Marach yn amlwg yn dechrau sylweddoli hynny rŵan, ac am drio byw bywyd mwy heddychlon." Edrychodd Siân ym myw llygad ei brawd. "Mae pawb yn haeddu ail gyfle, 'yntydyn?"

Gwenodd Cledwyn a nodio'i ben.

"Sbiwch!" meddai Gili Dŵ, gan bwyntio at y llawr. Roedd y Cnorc yn dod atynt drwy'r glaswellt, gan ddynwared bod yn un o'r Marach. Roedd o'n smalio ei fod o ar gefn ceffyl, ac yn brwsio gwallt hir dychmygol o'i wyneb. Aeth Cledwyn i lawr ar ei gwrcwd a chlapio'i ddwylo.

"Heb y Cnorc, fyddan ni ddim yma rŵan," meddai Cledwyn. Moesymgrymodd y Cnorc yn fonheddig, â gwên lydan ar ei wyneb.

"'Yntydi o'n od na wnaeth o'n brathu ni?" meddai Siân wrth benlinio'n ymyl ei brawd.

"Falla fod o'n bwfiadu gwneud fŵan! Falla mai dyna pam

mae o wedi dwâd yn ôl!" meddai Gili Dŵ, a'i lygaid fel soseri.

Dangosodd y Cnorc ei ddannedd yn filain i Gili Dŵ.

"Gwafchod mawf," gwichiodd Gili Dŵ, gan symud i ffwrdd yn gyflym.

Disgynnodd y Cnorc yn ôl ar y glaswellt, gan chwerthin llond ei fol. Methodd Cledwyn â pheidio rhoi gwên fach hefyd.

"Tydi o ddim am ein brathu ni, Gili Dŵ," meddai Cledwyn, gan drio peidio â chwerthin.

"Ond mi ddywedodd y Mafach eu bod nhw'n gfeadufiaid milain..."

"Gili Dŵ, pe bai gen i frathiad gwenwynig, mi fyddwn inna wedi brathu'r Marach hefyd," meddai Cledwyn. "Sut faset ti'n teimlo petait ti wedi cael dy gau mewn jar cyhyd?"

"Falla'i fod o'n syniad da ei roi o nôl yn y jar, Cled," meddai Siân, gan frathu ei gwefus. "Mae o'n wenwynig, wedi'r cyfan."

"Mae pawb yn haeddu ail gyfle, 'yntydi Siân?"

Gwenodd Cledwyn a Siân ar ei gilydd.

"Digon teg. Rŵan dewch. Rydan ni'n chwilio am ogof. Mae gen i deimlad nad yw Nain ymhell!"

Edrychodd Cledwyn ar y Cnorc. "Wyt ti am ddod efo ni?"

Ysgydwodd y Cnorc ei ben, cyn codi'i law'n gyfeillgar ar Cledwyn a throi i ffwrdd. Gwaeddodd Cledwyn ei ddiolch wrth i'r Cnorc sgipio i ffwrdd yn llon, y goleuni'n dod o'i gorff yn fwy llachar nag erioed.

Dechreuodd Siân, Cledwyn a Gili Dŵ gerdded, gan sgwrsio am hyn a'r llall. Teimlai pawb mewn tymer dda wedi iddyn nhw drechu'r Marach. Er bod Crug yn llawn peryglon, roedd y tir yn hardd iawn a'r haul yn tywynnu'n braf, ac ar adeg fel hyn, doedd o ddim yn teimlo fel lle mor ddrwg â hynny.

"Fydw i'n methu afos i gwfdd â'ch nain!" meddai Gili Dŵ'n llon. "Gobeithio y bydd yf ogof yma'n un eitha twt. Dwi 'di cael hen ddigon af gysgu mewn hen lefydd di-lun. Mi welsoch chi 'y nhŷ i, 'yn do – mi fydw i'n licio tipyn o steil."

"Ylwch!" gwaeddodd Siân, gan bwyntio at lecyn ychydig uwchlaw'r man lle cerddai'r tri. Yr ogof! Safodd y tri'n stond, gan syllu ar y creigiau mawr a'r twll bach tywyll yn arwain at grombil yr ogof.

Teimlai Cledwyn law Siân yn gafael yn dynn yn ei law ef, a throdd i edrych arni. Roedd ei hwyneb tlws yn llawn cyffro.

"'Dan ni'n mynd i weld Nain, Cled! Mae gen i deimlad y bydd hi yma."

Pennod 8

E︎R MAI AGORIAD bach oedd i geg yr ogof, roedd y tu mewn yn llawer mwy o faint. Aeth Cledwyn, Siân a Gili Dŵ ar hyd y twnnel tywyll heb ddweud gair. Roedd hi'n oer yno heb belydrau cynnes yr haul, a chlywent sŵn dŵr yn dripian yn rhywle. Roedd tywyllwch yr ogof yn ddigon i wneud i Cledwyn anghofio'i gyffro ac i betruso am eiliad; wedi'r cyfan, doedd gan neb syniad beth fyddai'n eu haros yng nghrombil yr ogof. Cerddai'r tri mewn tawelwch ofnus.

Yn sydyn, goleuodd yr holl ogof yn wyn llachar, a gwelodd Cledwyn eu bod mewn ystafell fawr, siâp cylch perffaith. Roedd y waliau'n llyfn heblaw am y cannoedd o risialau bach a ddisgleiriai ar wyneb y graig, ac ymddangosai'r ogof fel petai'n llawn diemwntau gwerthfawr. Edrychodd Cledwyn o'i gwmpas, gan chwilio am ei nain.

"Siân? Cled?" Daeth llais melfedaidd uchel o ben arall yr ogof. Trodd Cledwyn i edrych.

Syllodd yn gegagored wrth weld dynes yn cerdded yn osgeiddig tuag atynt. Roedd hi'n anhygoel o hardd, ei gwallt yn hir ac yn hollol syth, yn ddu a sidanaidd fel gwallt Siân. Glas oedd ei llygaid – glas golau fel llynnoedd ar ddiwrnod braf – a sylwodd Cledwyn fod ei llygaid mawr prydferth yn llawn emosiwn. Fe wisgai'r ffrog hyfrytaf a welsai erioed – un llaes wen oedd yn sgleinio fel petai miloedd o sêr wedi'u gwnïo i mewn i'r defnydd.

"Siân?" meddai'r ddynes, gan syllu ar Siân. Yna trodd at Cledwyn. "Cled bach?" Teimlai Cledwyn yn emosiynol, er na wyddai'n iawn pam. Edrychai'r ddynes mor daer i mewn i'w lygaid, fel bod Cledwyn yn ofni y gallai syllu'n syth i mewn i'w feddyliau.

"Rydan ni'n chwilio am Nain," meddai Cledwyn. Swniai ei lais yn wahanol i'r arfer, a theimlai'n wirion ac yn flêr.

"Ond... Eiry ydw i," meddai'r ddynas mewn llais ysgafn, mwyn. Doedd Cledwyn heb glywed yr enw o'r blaen, enw mor brydferth, ac edrychodd arni mewn penbleth.

"Pwy?" gofynnodd Siân.

"Eiry," gwenodd y ddynes arnynt cyn ychwanegu, "eich mam."

Roedd Cledwyn wedi breuddwydio am y foment hon filoedd o weithiau, ond nawr â'i fam yn sefyll yno o'i flaen, methodd yn lân â symud modfedd. Dechreuodd Siân grio cyn taflu ei hun i mewn i frechiau Eiry a'i chofleidio'n dynn, dynn. Syllodd Cledwyn ar y ddwy. Roedd o'n teimlo fel petai mellten wedi'i daro. Y ddynes brydferth, berffaith yma, yn fam iddo fo?

Gollyngodd Eiry ei gafael ar Siân a throdd at Cledwyn. Cyffyrddodd ei foch yn dyner gyda'i bys. "Cled bach," meddai'n dawel, "fy mabi bach i."

Ceisiodd Cledwyn siarad, ond roedd ei dafod yn sych grimp.

"Wedi cael sioc wyt ti?"

Nodiodd Cledwyn, a chwarddodd Eiry'n ysgafn.

"Eiry," meddai Siân, a'i llais yn sigledig. "Dyma Gili Dŵ. Mae o wedi'n helpu ni..."

Syllodd Gili Dŵ i fyny ar Eiry, a gwên wirion freuddwydiol ar ei wyneb. "Madam," meddai, gan foesymgrymu o'i flaen. "Gili Dŵ ydw i, o Bendfamwnwgl. Hap a damwain oedd i mi ddod o hyd i Siân a Cled o gwbl, wyddoch chi. Wfth y ddefwen fawf. Mi dda'th 'na gannoedd o Abafimon, ac mi…"

"Da iawn ti," meddai Eiry gan droi ei chefn arno. Gallai Cledwyn weld bod Gili Dŵ braidd yn siomedig nad oedd Eiry wedi talu mwy o sylw iddo – ond roedd hynny'n ddigon teg. Wedi'r cyfan, roedd hi newydd ddod o hyd i'w phlant ar ôl blynyddoedd o fyw ar wahân.

"Eiry?" gofynnodd Siân drwy ei dagrau. "Lle ydach chi wedi bod ar hyd yr holl amser? Roedd Cledwyn a minnau'n meddwl eich bod chi wedi marw!"

Ochneidiodd Eiry. "Eisteddwch yma," meddai, gan bwyntio at graig hir lefn yng nghanol yr ogof. Eisteddodd Cledwyn, Siân a Gili Dŵ ar y graig a safodd Eiry o'u blaenau, ei hwyneb prydferth bellach braidd yn brudd. "Doeddwn i ddim eisiau'ch gadael chi."

Methai Cledwyn â dioddef ei gweld hi dan deimlad. "Mae'n iawn!" meddai'n sydyn. "Does dim rhaid i chi esbonio!"

Gwenodd Eiry'n gariadus arno. "Oes, mae'n rhaid i mi. Rydych chi'n haeddu cael gwybod pam i mi'ch gadael chi yng ngofal eich nain."

"Mae Nain wedi edrych ar ein holau ni'n wych, Eiry," meddai Siân, gan sychu ei dagrau gyda chefn ei llaw. "Mae hi'n grêt."

"Ydi, wrth gwrs," gwenodd Eiry. "Er ei bod hi'n gallu bod fymryn yn od."

Teimlai Cledwyn fel dweud rhywbeth i amddiffyn ei nain, ond roedd arno ofn pechu Eiry. Mae'n siŵr nad oedd dim casineb yn ei sylw. Fodd bynnag, roedd o'n methu'n lân â chael gwared ar y teimlad anghyfforddus yn ei fol y dylai o fod yn dweud rhywbeth.

"Oddeutu pymtheng mlynedd yn ôl, roedd eich tad yn byw yn Aberdyfi gyda'ch Nain, ac aeth allan i nofio yn y môr gyda'r nos ar ddiwrnod o haf. Er ei fod o'n nofiwr cryf, roedd lli'r môr yn gryfach byth a chafodd ei dynnu o dan y dŵr gan y tonnau. Bu bron iddo â boddi, ond mi fuodd o'n lwcus: Roedd 'na fôrforynion o Grug o gwmpas, a chafodd ei achub ganddynt. Daeth o'n ôl yma i Grug i wella, ac ar ôl i ni'n dau gyfarfod, daeth hi'n amlwg y byddai'r ddau ohonon ni'n priodi un diwrnod. Hiraethai eich Tad am eich nain ac am ei hen gartref yn Aberdyfi, ac felly cytunais y byddwn i'n symud i'ch byd chi i fyw at y ddau ohonyn nhw.

Mi briodon ni ac wedi i ni briodi mi gawson ni ddau o blant – y chi – ac roedd pawb yn hapus. Heblaw amdana i. Roedd hi'n anodd iawn i mi ddygymod â byw yn eich byd chi, a minnau wedi arfer a byw mewn plasty. Er fy mod i wedi gwirioni'n lân arnoch chi'ch dau, roedd fy nghalon i yma yng Nghrug. Roeddwn i'n gwallgofi bron wrth hel atgofion am fy ngwlad fy hun. Felly mi benderfynais ddychwelyd yn ôl yma."

"Pam na ddaethoch chi â ni gyda chi? A be ddigwyddodd i'n tad ni?" ymbiliodd Siân.

"Tydi Crug ddim yn lle saff i blant bach," atebodd Eiry gan ysgwyd ei phen. "Roedd gen i ofn y byddech chi'n dianc o'r ardd ac yn mynd ar goll yng nghanol y wlad – mae hi'n ofnadwy o beryglus yma, wyddoch chi..."

"Mae Eify'n dweud y gwif," meddai Gili Dŵ. "Tydi Cfug ddim yn lle diogel i..."

"Penderfynodd eich tad ddod gyda mi," torrodd Eiry ar draws Gili Dŵ. Dyma'r eilwaith iddi wneud hynny ac roedd Cledwyn yn amau nad oedd hi'n sylweddoli cyfeillion mor dda oedd Gili

Dŵ a'i phlant. "Roedd eich nain yn fwy na bodlon cymryd gofal ohonych chi tan y byddech chi'n ddigon hen i ddod yma ata i."

"Ydi Nain efo chi?" gofynnodd Cledwyn.

"Mae hi nôl yn y plasty. Fel y gwyddoch chi, mae hi'n hen ac angen gorffwys."

"Ydi'r plasty yn fawr?" holodd Siân.

"Anferthol!" gwenodd Eiry. "Rydych chi'n blant pwysig iawn yma yng Nghrug. Iarlles ydw i. Rydych chi'n lwcus iawn – mae eich cartref newydd chi'n arbennig o foethus."

"Ein cartref newydd ni?" ailadroddodd Siân.

"Be 'dach chi'n feddwl?" holodd Cledwyn.

Chwarddodd Eiry. "Mae'r amser wedi dod i fy mhlant i ymuno â mi yng Nghrug. Mi wn i ei bod hi wedi bod yn anodd arnoch chi, yn byw yn yr hen dŷ tywyll yna yn Aberdyfi. Ond fydd dim rhaid i chi ddychwelyd yn ôl yno byth eto."

Dechreuodd Siân grio, a chofleidiodd Eiry ei merch yn dyner. Dechreuodd Cledwyn grio'n dawel hefyd, a chydiodd y tri yn ei gilydd yn dynn.

Gwyddai Cledwyn fod Siân yn crio mewn hapusrwydd. Ar ôl blynyddoedd o freuddwydio, roedd y ddau wedi dod o hyd i'w mam, a ymddangosai'n ddynes garedig a bonheddig. Ond doedd Cledwyn ddim yn siŵr pam roedd o'n crio. Meddyliodd am ei gartref clyd yn Aberdyfi, am nosweithiau'n sgwrsio gyda Nain, ac am sŵn y gwylanod drwy ffenestr ei ystafell ar noson o haf.

Tynnodd Cledwyn yn ôl o freichiau Eiry a Siân. Sychodd ei ddagrau â chefn ei law.

"Ydi Dad yn aros amdanon ni yn y plasty?" gofynnodd, gan geisio peidio â swnio'n rhy ddagreuol.

Ochneidiodd Eiry ac ysgwyd ei phen. "Nac ydi, ma arna i ofn. Yn fuan ar ôl i ni symud i Grug, cafodd eich tad a minnau hen ffrae wirion, ac mi ddiflannodd o. Roeddwn i'n hanner meddwl iddo ddychwelyd yn ôl i Aberdyfi."

"Diflannu?" gofynnodd Siân. "Druan ohono fo!"

"Dydach chi ddim wedi clywed gair o gwbl ganddo fo wedyn?" holodd Cledwyn. Aeth ias drwy ei gorff wrth feddwl am yr holl beryglon oedd wedi gwynebu ei Dad, ar ei ben ei hun yng Nghrug.

"Dim gair," meddai Eiry, gan edrych ar ei dwylo'n brudd. "Mi fyddwn i wrth fy modd yn cael ei weld o eto... Ymddiheuro am yr hen ffrae wirion... Mi fyddai o wrth ei fodd yn cael eich gweld chi rŵan!"

Sychodd Siân ei dagrau ar ei llawes. "Rydyn ni wedi dod o hyd i chi, o'r diwedd, ac mae hynny'n gymaint mwy nag roeddan ni wedi'i ddisgwyl. Dwi'n siŵr y down ni o hyd i Dad ryw ddiwrnod, wyddoch chi."

"Gwnawn, mae'n siŵr. A rŵan," meddai Eiry gyda gwên, "mae hi'n hen bryd i ni fynd adref i'r plasty, er mwyn i chi gael dechrau ar eich bywyd newydd!" Trodd at Gili Dŵ, a fu'n dawel iawn ers meitin. "Diolch i ti am eu hebrwng nhw. Gei di fynd rŵan – maen nhw'n berffaith saff gyda mi."

"Na!" gwaeddodd Cledwyn, gan deimlo'n wirion wedyn am iddo weiddi mor uchel. "Plîs, Eiry, gaiff o ddod efo ni? Mae o wedi achub ein bywydau ni gymaint o weithiau. Mae o'n ffrind i ni."

Gwenodd Eiry. "Ffrind i chi? Hyfryd! Dewch â fo ar bob cyfri. Reit ta, ydi pawb yn barod i adael?" meddai Eiry, yn wên i gyd wrth arwain y ffordd drwy'r ogof tuag at y goleuni'r tu allan. Trodd Cledwyn at Gili Dŵ. Gwenodd Gili Dŵ arno'n werthfawrogol.

Roedd yr haul yn dal yn gryf pan gamodd y pedwar allan o'r ogof, ac edrychai Eiry hyd yn oed yn harddach fyth yng ngolau dydd. Methai Cledwyn yn lân â thynnu ei lygaid oddi arni, a gwelodd fod Siân a Gili Dŵ hwythau'n rhyfeddu at ei phrydferthwch. Fedrai Cledwyn ddim credu ei fod o'n perthyn i ddynas mor brydferth.

"Ydi hi'n bell i gerdded?" gofynnodd Siân, a chwarddodd Eiry. Gwaeddodd yn ysgafn. "Blodug!" Ymhen eiliadau, ymddangosodd y ceffyl harddaf a welsai Cledwyn erioed. Lliw siocled hyfryd oedd o, a'i lygaid mawr tywyll yn sgleiniog fel marblis. Ond y peth rhyfeddaf, a phrydferthaf am y ceffyl oedd y llwybr o flodau a dyfai o dan ei draed gan adael llwybr lliwgar ar ei ôl – yn cynnwys pabis cochion a blodau llygad y dydd hyfryd.

Tynnai'r ceffyl gerbyd oedd bron mor brydferth â'r anifail ei hun – un isel a chrwn, wedi'i orchuddio ag arian sgleiniog a phatrymau cywrain fel clymau Celtaidd. Sylweddolodd Cledwyn mai Blodug oedd wedi gadael y llwybr o laswellt yn ei hen gartref yn Aberdyfi; roedd y blodau bach a dyfai dan ei draed yn union yr un fath â'r rhai a arweiniodd o wely Nain at y ffrâm luniau.

"Eiry?" gofynnodd Cledwyn, wrth i'r ceffyl a'r cerbyd ddod i stop o'u blaenau. "Ai Blodug ddaeth â Nain i Grug?"

"Paid â bod yn wirion, Cled!" atebodd Siân. "Mi fydden ni wedi deffro pe bai 'na glamp o geffyl mawr wedi carlamu drwy'r tŷ!"

"Mae Blodug yn un da am gadw'n dawel pan fo angen. Ia, Cled bach, Blodug ddaeth i nôl eich nain o'i gwely'r noson honno. A rŵan, eich tro chi ydi hi!"

Dringodd Eiry i mewn i'r cerbyd, yn cael ei dilyn gan Siân a ddaliai i wenu drwy ei dagrau o lawenydd. Neidiodd Gili Dŵ a Cledwyn i mewn ar eu holau.

Roedd y tu mewn i'r cerbyd yn foethus a chyfforddus, y seddi wedi'u gorchuddio â melfed trwchus lliw ceirios. Gorchuddiwyd y waliau â phatrwm blodeuog o goch tywyll a phiws. Roedd y waliau'n frith o wydrau gwin wedi'u llenwi â thân, a roddai olau cynnes braf i'r cerbyd.

"Ewadd, dyma gfand. Dipyn gwell na'f hen goets 'na oedd gan y Mafach! Sbiwch af y goleuadau 'na! Welais i 'fioed ffasiwn beth! Ew, mae ganddoch chi chwaeth, Eify!" Gwenodd Eiry ar Gili Dŵ.

Roedd gan Siân a Cledwyn ddegau o gwestiynau i'w gofyn i Eiry, ond roedd y cerbyd mor gyfforddus a'r holl gyffro wedi blino pawb. Ymhen dim, wedi i'r cerbyd ddechrau symud, cysgai Siân, Eiry a Gili Dŵ'n drwm.

Eisteddodd Cledwyn am yn hir, ei feddwl ar garlam. Syllodd ar Eiry'n cysgu, ei hwyneb perffaith yn wyn fel eira a'i gwallt du yn sgleinio yn y golau. Roedd Siân yn cysgu wrth ei hymyl, a sylweddolodd Cledwyn am y tro cyntaf pa mor debyg oedd y ddwy. Pan dyfai Siân yn ddynes, yr unig wahaniaeth rhwng y ddwy fyddai'r cyrls yng ngwallt Siân, a'r sbectol a orffwysai ar ei thrwyn. Ond, meddyliodd Cledwyn, doedd ef ei hun yn ddim byd tebyg i Eiry. Roedd y ddau mor wahanol â nos a dydd. Mae'n rhaid mai tebyg i'w dad oedd Cledwyn.

Pennod 9

CARLAMODD BLODUG AM oriau maith, gan dynnu'r cerbyd yn rhyfeddol o lyfn dros y milltiroedd. Cysgodd pawb yn ystod yr holl daith, heblaw am Cledwyn, a phan stopiodd y cerbyd o'r diwedd a deffro pawb, taerai Siân a Gili Dŵ nad oedden nhw wedi cysgu mor drwm ers amser maith. Gwenodd Eiry wrth iddi agor drws y cerbyd.

Wrth gamu allan i haul diwedd dydd, syllodd Cledwyn yn gegagored ar y plasty ysblennydd oedd o'i flaen. Roedd Blodug wedi aros o flaen drysau mawr a wnaed o dderw trwm, a chyn gynted ag y gadawodd pawb y cerbyd, carlamodd y ceffylau i ffwrdd ar hyd lôn gul a wnaed o lechi llyfn. Roedd y plasty yn adeilad uchel a llydan, a'i waliau gwynion yn disgleirio dan belydrau olaf yr haul. Roedd iddo ddegau o ffenestri mawrion, a'u fframiau wedi'u gwneud o aur glân sgleiniog. Wrth edrych i lawr y lôn ar Blodug yn carlamu i ffwrdd, gwelodd Cledwyn fod y gerddi'n ymestyn ymhell o'u blaenau, a bod y wal gerrig uchel yn amddiffyn y plasty rhag peryglon Crug. Câi'r gerddi'n amlwg lawer o sylw – y glaswellt wedi'i dorri'n fyr, fel y glaswellt yng nghlwb golff Aberdyfi, a'r coed a'r blodau'n dwt ac yn daclus.

"Croeso i'r plasty," meddai Eiry, gan wenu ar wynebau cegagored Siân a Cledwyn.

"Chi sy'n berchen ar hyn i gyd?" gofynnodd Siân. Chwarddodd Eiry a nodio.

"Anhygoel wif," meddai Gili Dŵ'n frwd. "Mae'f ffenestfi auf 'na'n ffasiynol iawn fŵan, wfth gwfs. Dwedwch wftha i, Eify, sut fai ydyn nhw i'w llnau? A gweddill y tŷ, o fan hynny? Bach ydi

Pendfamwnwgl, ac mi dwi'n ei chael hi'n anodd cadw gofal af y glanhau a'f gwaith tŷ..."

"Mae swyn ar y plasty sy'n sicrhau ei fod yn cadw'i hun yn lân, Gili Dŵ. Does 'na 'run morwyn na gwas wedi gweithio yma 'rioed, a fyddai gen i ddim syniad ble i ddechrau."

"Cadw ei hun yn lân?" meddai Gili Dŵ'n anghrediniol.

"Cyn gynted â bo baw neu lwch yn ymddangos, bydd o'n diflannu. Mae'r llestri'n glanhau eu hunan rhwng pob pryd bwyd, ac os oes pethau'n cael eu gadael o'u priod le, mi fyddan nhw yn ôl lle y dylian nhw fod erbyn y bore. A'r ardd yr un fath. Tydi'r glaswellt ddim yn tyfu, ac mae'r gwrychoedd yn cadw'n daclus. Toes gan chwyn ddim gobaith tyfu yn y fan hyn! Bydd y tŷ'n gofalu bod past dannedd ar y brwsys, y dillad yn cael eu golchi, a'r tanau'n cael eu cynnau. Byddai plasty fel hyn yng Nghymru yn werth ffortiwn!"

"Glywais i 'fioed am ffasiwn beth. Y llestfi'n glanhau eu hunan! Ga i ofyn, ble cawsoch chi afael af y swyn..."

"Dewch, rŵan," meddai Eiry, gan anwybyddu cwestiwn Gili Dŵ. "Mae'r haul yn machlud ac mi fydd hi'n oeri cyn bo hir. Mi gawn ni wledd i ddathlu eich bod chi wedi dod yma i Grug!"

Dringodd Eiry'r grisiau marmor, a gwthio'r drws ar agor. Camodd Cledwyn i mewn i'r plasty, ac edrych o'i gwmpas ar y neuadd fawr foethus. Marmor du oedd ar lawr, a waliau lliw hufen gyda phatrwm cymhleth o flodau arnynt. Bob ochr i'r neuadd roedd dwy set o risiau mawreddog a'r canllawiau o bren tywyll yn sgleiniog a thrwchus. Roedd yr ystafell fawr yn hollol wag, heblaw am un gadair o felfed coch ar ganol y llawr. Ar y wal o flaen y gadair, roedd llun enfawr mewn ffrâm aur batrymog. Syllodd Cledwyn yn gegrwth ar y llun.

Portread anfeth ohono ef a Siân oedd y llun a hwythau'n llawer iau. Baban oedd Cledwyn yn y llun, a Siân yn eneth fach yn gwenu fel giât. Profiad od iawn i Cledwyn fu syllu ar lun ohono'n fabi a hwnnw rhyw bedair gwaith yn fwy na'i faint o ei hun.

"Wel wif!" meddai Gili Dŵ gan syllu ar y llun. "Tydach chi'ch dau heb newid dim! Y gwallt cochlyd 'na gan Cled, a'f wên fach ddifeidus af wyneb Siân!"

"Welais i 'rioed lun mor fawr â hwn," meddai Siân yn llawn emosiwn, wrth iddi syllu ar y portread anferth ohoni hi'n blentyn.

"Na finna," cytunodd Gili Dŵ. "Mae'n amlwg bod eich mam wedi'ch colli chi'n fawf."

Nodiodd Eiry. "Bob nos cyn cysgu, byddwn i'n eistedd o flaen y llun yna, ac yn meddwl am fy mhlant annwyl. Yn dychmygu beth fyddech chi'n wneud, a sut roeddach chi. A rŵan, does dim angen i mi edrych ar yr hen lun – mae 'mhlant go iawn i yma gyda mi!"

Cofiai Cledwyn am yr adegau hynny pan fyddai'n gorwedd yn ei wely'n meddwl am ei fam, yn dychmygu sut un oedd hi a ble roedd hi. Roedd clywed gan Eiry iddi hithau fod yn meddwl amdano ef hefyd yn deimlad rhyfedd.

"Wyt ti'n iawn, Cled?" gofynnodd Eiry wrth weld wyneb gwelw ei mab. Nodiodd Cledwyn. Roedd o'n siŵr y byddai'r dagrau'n llifo petai o'n trio dweud rhywbeth.

"Hoffet ti bum munud bach yn dy lofft cyn cael swper? Mae'r holl gyffro yma'n sioc anferth i ti, mae'n siŵr." Nodiodd Cledwyn unwaith eto. Gallai deimlo llygaid Siân a Gili Dŵ'n syllu arno. "Cled, mae dy lofft di i fyny'r grisiau ar y chwith. Y deuddegfed drws ar y dde. Siân, mae dy lofft di i fyny'r grisiau ar y dde, y deuddegfed drws ar y chwith. Bydd swper ymhen rhyw ddeng munud, drwy'r drws yna." Pwyntiodd Eiry at ddrws mawr yng nghornel y neuadd.

"Ble bydd Gili Dŵn cysgu?" gofynnodd Cledwyn.

"Tydw i ddim yn siŵr eto," meddai Eiry, gan wenu. "Mi ddown ni o hyd i le iddo fo, paid ti â phoeni."

"Cafedig iawn," meddai Gili Dŵn frwd. "Tydw i ddim eisiau bod yn dfaffefth o gwbl, cofiwch. Ffowch fi mewn ffyw gofnel yn ffywle. Mi alla i gysgu yn unffyw le, wyddoch chi. Mi syfthiais i gysgu unwaith tfa fo'n i'n plannu tatws yn yf afdd ym Mhendfamwnwgl..."

Dringodd Cledwyn y grisiau. Yno, roedd 'na goridor hir a drysau mawr pren ar bob ochr iddo. Ar y waliau, roedd portreadau o wŷr a gwragedd prudd yr olwg. Wrth gerdded ar hyd y coridor a'i draed yn suddo i mewn i'r carped coch trwchus, meddyliodd Cledwyn ei bod hi'n biti garw nad oedd ei ystafell wely yn agosach at un Siân. Doedd gan Cledwyn ddim syniad beth oedd y tu ôl i'r holl ddrysau hyn.

Cyrhaeddodd Cledwyn y deuddegfed drws ar y dde a throdd y bwlyn mawr pren. Gwthiodd y drws yn araf.

Roedd hi'n ystafell anferthol, a'r gwely mawr yn ei chanol yn fwy nag unrhyw wely a welsai Cledwyn cyn hynny. Cafodd y waliau eu gorchuddio â phapur wal gyda llun coed arno, a wnâi i'r holl ystafell deimlo fel llecyn yng nghanol coedwig. Ceisiodd Cledwyn beidio â meddwl am y goedwig ble bu'r Marach yn cynllwynio yn eu herbyn.

Bob ochr i'r gwely roedd dwy wardrob fawr a ffenestr enfawr gyferbyn. Croesodd Cledwyn yr ystafell er mwyn edmygu'r olygfa. Gallai weld yr ardd hyfryd, a'r coed a'r blodau taclus. Gwelodd fod y wal gerrig uchel yn ymestyn yr holl ffordd o amgylch yr ardd, a bod giât fawr ddur wedi'i chau'n gadarn er mwyn atal unrhyw un rhag dod i mewn.

Eisteddodd Cledwyn ar ei wely, gan edrych ar ei lofft newydd oedd mor fawr a moethus, a'i wely mor feddal a chyfforddus. Roedd wedi blino'n lân, ond rhesymodd gydag ef ei hun y byddai'n teimlo'n llawer gwell ar ôl cael llond bol o fwyd. Ac, er mor hapus oedd o o weld Eiry, roedd rhywbeth ar goll. Yr hyn a wnâi o'n anghyffordus, meddyliodd, oedd y ffaith na welsai ei nain hyd yn hyn. Ia, dyna fo! Unwaith y câi o weld Nain, mi fyddai o'n gallu gorffwys yn iawn, a mwynhau dod i adnabod ei fam. Pryd, tybed, y câi weld Nain?

Y wledd! Wrth gwrs! Roedd Eiry wedi paratoi gwledd, ac mi fyddai Nain yn siŵr o fod yno wrth y bwrdd!

Neidiodd Cledwyn oddi ar ei wely cyn rasio ar hyd y coridor hir, a llamu i lawr y grisiau mawreddog. Wrth iddo redeg ar draws y llawr sgleiniog am ddrws yr ystafell fwyta, daeth y darlun o'i nain i feddwl Cledwyn – ei gwên, ei chwerthiniad iach, ei phersawr. Byddai popeth yn iawn unwaith y câi sgwrsio â Nain...

Rhuthrodd i mewn i'r ystafell. Prin iddo sylwi ar foethusrwydd yr ystafell fwyta anferthol, nac ar y lluniau o flodau amryliw a orchuddiai'r waliau. Yr unig beth a welodd oedd y bwrdd hir o bren tywyll, a thri ffigwr yn eistedd wrtho, yn syllu arno. Eiry, Siân a Gili Dŵ. Dim Nain. Bu bron iddo ebychu mewn siom.

"Wyt ti'n iawn, Cled?" gofynnodd Siân, gan godi'i haeliau wrth weld ei brawd yn edrych mor siomedig.

"Ydw, diolch," meddai gan eistedd ar yr unig gadair wag.

"Wyt ti'n siŵr, Cled bach?" gofynnodd Eiry. "Mae 'na olwg ddigon digalon arnat ti. Wyt ti'n anhapus gyda dy ystafell wely?"

Ysgydwodd Cledwyn ei ben a gwenu'n wan. "Mae hi'n grêt, diolch. Meddwl oeddwn i y byddai Nain yn bwyta efo ni."

Gwenodd Eiry ac ysgwyd ei phen. "Mae hi'n dal i gysgu, mae arna i ofn. Doeddwn i ddim am ei deffro."

"Cysgu? Ond tydi Nain byth yn mynd i'r gwely mor gynnar â hyn!" meddai Siân. "Ydi hi'n iawn?"

"Ydi, ond yn flinedig iawn. Bydd hi'n aml yn cysgu yr adeg hyn o'r dydd. Drwy'r dydd weithiau. Er ei bod hi'n edrych ymlaen at eich gweld chi, efallai y byddai'n syniad da i roi ychydig o amser iddi ddod ati hi ei hun yn gyntaf."

Suddodd calon Cledwyn. "Fyddwn ni ddim yn ei blino hi! Wir yr! Dim ond am ei gweld hi am ychydig..."

"Mae Eiry'n iawn, Cled," meddai Siân gan ysgwyd ei phen. "Mi rydw inna'n ysu am gael gweld Nain hefyd, ond mae'n well iddi gael gorffwys."

Nodiodd Cledwyn heb ddweud gair. Roedd gwybod bod Nain mor agos, ond nad oedd o ddim yn cael ei gweld, yn gwneud iddo eisiau sgrechian. Eisteddodd yn ei gadair heb ddweud gair. Gallai deimlo llygaid pawb yn syllu arno.

"Gobeithio bod pawb eisiau bwyd," dywedodd Eiry, er mwyn torri ar y tawelwch.

"Bron â llwgu," atebodd Siân. "Beth sydd i swper?"

"Beth bynnag rydach chi'n ei ffansïo!" ebe Eiry gyda gwên. Edrychodd ar y plât o'i blaen. Roedd gorchudd mawr arian drosto, a bwlyn bach sgleiniog ar ei ben. "Eog mewn saws gwyn gyda salad gwyrdd," meddai'n glir. Yna, cododd y gorchudd arian oddi ar ei phlât a'i osod yn ofalus naill ochr. Ar ei phlât, roedd darn mawr o eog pinc ar wely o salad ffres. Edrychai'r pryd yn flasus dros ben.

"Bobol bach," meddai Gili Dŵ, a'i lygaid yn llydan fel soseri. "Fydan ni'n cael gofyn am unffyw beth?"

Nodiodd Eiry a gwenodd Gili Dŵ wrth gysidro am rai eiliadau.

"Iau gyda malwod picl a phwdin gwaed. O, a tships." Cododd y caead oddi ar ei blât ac edrychodd yn awchus ar y bwyd.

Edrychai'r bwyd braidd yn afiach ym marn Cledwyn.

"Mae hyn yn grêt!" meddai Siân yn llawn cyffro. "Pizza i fi, a thomato, caws a chyw iâr arno fo."

Tynnodd y caead gan ddadorchuddio pizza mawr, blasus iawn yr olwg.

Wrth i Cledwyn syllu ar swper ei chwaer, sylweddolodd ei fod o'n llwglyd, a gwyddai'n iawn beth roedd o'n mynd i ofyn amdano. "Sglodion, pysgodyn, a phys slwj." Cododd y caead arian a llyfu ei wefusau wrth weld y bwyd. Roedd y sglodion yn drwchus ac yn euraid, y pysgodyn yn fawr, a'r pys slwj yn union fel roedd Cledwyn yn eu hoffi – hylif lympiog o wyrdd llachar.

"Mae'r diodydd yn gweithio 'run fath," meddai Eiry, gan bwyntio at y cwpan euraid wrth ymyl plât Cledwyn. Roedd caead bychan arno, a phatrwm cywrain o ddail eiddew wedi'i grafu i mewn i'r aur. Edrychodd Cledwyn ar y cwpan a chofio am y ddiod hyfryd yr arferai Nain ei gwneud iddo ar ddiwrnod braf o haf. Y ddiod berffaith i dorri syched, a'r ddiod berffaith i'w hyfed efo sglodion poeth.

"Sudd grawnffrwyth efo lemonêd," meddai, cyn codi'r

gorchudd oddi ar y cwpan. Roedd y cwpan yn llawn dop o'i hoff ddiod ac yn oer braf fel petai wedi bod yn yr oergell am oriau.

Gofynnodd Eiry am ddŵr swigod, cafodd Siân sudd afal pîn, a gofynnodd Gili Dŵ am rywbeth o'r enw "sudd peflysiau cymysg a phfôns pinc."

Bu tawelwch wrth i bawb fwyta'n awchus. Blasai popeth y tu hwnt o flasus, wedi'i baratoi'n union fel yr hoffai Cledwyn ef. Sylwodd fod Eiry'n bwyta'n araf iawn, gan osod ei fforc wrth ymyl ei phlât am sbel er mwyn iddi fedru gwylio'i phlant yn mwynhau eu bwyd. Roedd yn amlwg wrth weld ei llygaid yn disgleirio fel diemwntau ei bod hi wrth ei bodd yn cael cwmni'i phlant.

Cawsai Cledwyn gymaint o sioc wrth gyfarfod ei fam, fel na chawsai gyfle i ystyried teimladau Eiry. Ar ôl bod yn chwilio cyhyd am Nain, bu dod o hyd i rywun arall yn sioc anferth iddo, ac, i fod yn hollol onest, cawsai ychydig o siom. Ond yn awr, wrth edrych ar Eiry, sylweddolodd Cledwyn bod yr hyn y bu'n dymuno amdano wedi dod yn wir. Ei fam! Yn brydferth a charedig a chlên, ac yntau heb wneud dim ond poeni pryd y câi o weld Nain. Sut y gallasai o fod mor ddifeddwl? Roedd Eiry'n gwireddu pob un o'i freuddwydion.

"Diolch," meddai Cledwyn yn sydyn, ac edrychodd pawb arno mewn syndod. Gwridodd Cledwyn. "Am bob dim; diolch, Eiry."

Gwenodd hithau, a theimlai Cledwyn wrth ei fodd bod ei eiriau o'n gallu ei gwneud mor hapus. Syllodd y ddau ar ei gilydd am ychydig, ac am y tro cyntaf erioed, teimlai Cledwyn wir gariad tuag at ei fam.

"Does dim rhaid i ti ddiolch i mi, Cled. Rydw i'n fam iti. Fy lle i yw edrych ar dy ôl di."

"Ond mi rydw i eisiau diolch 'run fath."

Clywodd Cledwyn snwffian o gyfeiraid Gili Dŵ, a throdd i'w weld yn sychu ei drwyn ar ei lawes yn ddagreuol. "Welsoch chi 'fioed ffasiwn fanafs mewn hogyn mof ifanc? Mae'f peth yn ddigon i ddod â dagfa i fy llygaid i, yndi wif..."

Bu pawb yn sgwrsio'n ddiddig am weddill y noson, a chafwyd llawer o chwerthin o amgylch y bwrdd. Bu Eiry'n holi am fywydau Siân a Cledwyn yn ôl yn Aberdyfi, a mwynaodd glywed Cledwyn yn sôn am ei gomics a Siân yn parablu am Beryl a gweddill ei ffrindiau. Roedd pawb yn eu dyblau wrth glywed am hanes Siân a Beryl yn colli goriadau tŷ Nain yn y tywod pan oedden nhw ar drip yn Nhywyn, a'r holl banics a fu wedyn.

"Fedra i'm aros i weld Beryl! Mi fydd hi wrth ei bodd pan awn ni nôl..." Trodd wyneb Siân yn ddifrifol iawn am eiliad. "Eiry? A fyddwn ni'n cael mynd yn ôl i Aberdyfi o gwbl?"

"Ar ôl i chi setlo yma, mi wnawn ni ystyried pryd bydd hi'n gyfleus i chi ddychwelyd yn ôl ar ymweliad. Pwy a ŵyr... efallai y dof i gyda chi! Mae'n flynyddoedd maith ers i mi gael gweld yr hen le..."

"A beth am Nain?" gofynnodd Cledwyn. "A fydd hi'n aros yma gyda ni, neu'n mynd yn ôl i fyw i Aberdyfi?"

"Dim ond eich nain all ateb y cwestiwn yna," meddai Eiry'n ysgafn. "Mae croeso iddi aros yma os dyna'i dymuniad, ond fyddwn i ddim yn dymuno'i chadw hi yma yn erbyn ei hewyllys."

Gwyddai Cledwyn nad oedd angen iddo boeni. Roedd o'n siŵr na fyddai Nain yn ei adael yma.

"Fo'n i'n meddwl ei bod hi'n amhosib bfon i fynd o Gfug i'f byd afall ac yn ôl, ond mae'n ymddangos, o'ch clywed chi'n siafad Eify, fy mod i wedi bod yn anghywif..."

"Dim o gwbl," meddai Eiry gan sipian ei diod. "Gan fod gen i blant sy wedi'u geni yn Aberdyfi, mi alla i fynd a dod fel y mynna i. Mae 'na ryw swyn od sy'n ei gwneud hi'n haws i bobol sydd â chyfeillion neu deulu yn byw yn y byd arall i deithio yno."

Bu ychydig o ryw fân sgwrsio am hanner awr arall. Teimlai pawb yn hapus a hwythau wedi cael llond eu boliau o fwyd. Roedd Gili Dŵ newydd orffen dweud hanes difyr am sut y cafodd o wared ar hen ysbryd maleisus o Bendramwnwgl (gan ddefnyddio hen hosan ddrewllyd a brwsh llawr), pan ddylyfodd Cledwyn ei ên. Sylweddolodd i'r pedwar ohonynt fod yno'n sgwrsio ers oriau, a'i fod o'n gysglyd iawn.

"Rydw i am fynd i 'ngwely," meddai, gan godi o'i gadair. "Diolch am bob dim, Eiry. Roedd y pryd bwyd yn grêt. Nos da i chi i gyd."

Dymunodd pawb nos da i Cledwyn, a gwenodd yntau'n hapus yr holl ffordd i fyny i'w lofft. Yn aros amdano ar ei obennydd roedd pâr o byjamas cotwm, meddal, ac arnynt batrwm o gymylau glas a gwyn. Gwnâi'r tanllwyth o dân yn y grât yr ystafell wely yn un groesawgar iawn.

Gwisgodd Cledwyn ei byjamas yn flinedig. Doedd ganddo mo'r amynedd i chwilio am stafell ymolchi i gael glanhau ei ddannedd ac ymolchi ei wyneb. Wrth ddringo i mewn rhwng y cynfasau, lledodd gwên fawr dros ei wyneb – roedd ei fol yn llawn o fwyd blasus, ei nain yn saff, ac yntau wedi dod o hyd i'w fam garedig a hael. Meddyliodd am Caryl a'i ffrindiau creulon yn ôl yn Aberdyfi. Beth fydden nhw'n ei ddweud wrth weld Cledwyn yn byw mewn plasty mor grand ac yn fab i iarlles brydferth?

Aeth Cledwyn i gysgu'r noson honno gyda chynhesrwydd yn ei galon a gwên fach yn dawnsio ar ei wefusau.

Wrth iddo agor y llenni'r bore wedyn, gwelodd Cledwyn fod yr haul yn gwenu'n braf unwaith eto. Sylwodd fod y dillad, a adawsai'n bentwr blêr y noson cynt, wedi diflannu, a daeth o hyd i siŵt werdd o felfed trwchus yn y cwpwrdd, a honno'n ei ffitio'n berffaith.

Wrth adael ei ystafell wely, sylwodd Cledwyn fod y drws nesaf ato yn y coridor led y pen ar agor. Cerddodd i mewn yn araf i'r ystafell.

Stafell ymolchi! Gyda bath enfawr, tŷ bach yn y gornel, a sinc. Ond y peth hyfryd am yr ystafell hon oedd ei waliau. Roedd pob un yn danc pysgod enfawr, gyda channoedd o bysgod o bob lliw a llun yn nofio o gwmpas. Bu Cledwyn mewn lle tebyg i hwn o'r blaen, mewn sw môr crand ar drip ysgol. Ond roedd cael ymolchi ei wyneb yn y fan hyn bob dydd, a chael eistedd ar y tŷ bach yn gwylio'r pysgod yn nofio'n ddioglyd – wel! roedd hyn yn nefolaidd. Daeth o hyd i frws dannedd arian a phast arno'n barod, a brwsiodd ei ddannedd wrth wylio pysgodyn bach porffor a chynffon oren yn nofio o waelod y llawr at y nenfwd. Byddai cael bath yma fel paradwys, meddyliodd, wrth ddychmygu gorwedd yn y twba mawr gan wylio'r enfys o bysgod yn nofio'n hamddenol. Byddai'n rhaid iddo gael bath heddiw! Ond cyn gwneud dim, rhaid mynd i'r ystafell fwyta i gael brecwast.

Cledwyn oedd yr olaf i gyrraedd, a gwenodd ar bawb wrth

ddymuno bore da iddyn nhw. Roedd Siân yn cnoi brechdan selsig, ac Eiry'n mwynhau salad ffrwythau. Roedd Gili Dŵ'n llowcio rhyw fath o gawl brown, poeth, yr un mor afiach â'i swper, ond roedd o'n ei fwynhau'n fawr. Eisteddodd Cledwyn yn ei gadair. Edrychodd ar ei blât gyda'i orchudd arian.

"Tost a menyn cnau, os gwelwch yn dda," meddai, cyn codi'r gorchudd a gweld dau ddarn trwchus o dost gwyn, gyda haenen dew o fenyn cnau arnynt.

"Oedd dy wely di'n gyfforddus, Cled?" gofynnodd Eiry gyda gwên.

"Grêt, diolch! Mi wnes i gysgu'n drwm. A diolch am y dillad newydd hefyd. Maen nhw'n ffitio'n berffaith!"

"Hei, Cled, ar ôl brecwast mi fydd yn rhaid i ti a Gili Dŵ ddod i weld fy ystafell i!" meddai Siân yn frwdfrydig. "Ac mi ddo inna i weld eich stafelloedd chi! Dylet ti weld yr holl bersawr a cholur ac eli oglau da sydd yn fy stafell 'molchi i... Ydi hynna'n iawn, Eiry? Neu oes ganddoch chi gynlluniau ar ein cyfer ni heddiw?"

"Un peth yn unig," atebodd Eiry. "Hoffwn i chi ddewis ystafell wely i Gili Dŵ. Mae arna i ofn bod yr ystafell yr arhosodd o ynddi neithiwr yn fach ac wedi'i haddurno'n blaen ac yn anniddorol. Cewch chi fynd i unrhyw le yn y plasty, heblaw am yr ystafelloedd drwy'r drws ar waelod y grisiau yn y neuadd." Glanhaodd Eiry gorneli'i cheg gyda'i hances. "Yn y fan honno mae fy ystafelloedd i, ble y bydda i'n treulio fy nyddiau'n gwneud gwaith papur. Yn y fan honno hefyd mae eich nain yn gorffwys, ac mi fyddai'n well gen i i chi beidio â mynd yno rhag ofn i chi amharu ar ei chwsg."

"O! Grêt! Ro'n i'n gobeithio y cawn i gyfle i ddod i nabod y plasty y well. Diolch Eiry," meddai Siân yn llawen.

"Gwefthfawfogi'n fawf, Eify," meddai Gili Dŵ'n ddidwyll. "Mi foedd y llofft y cysgais i ynddi neithiwf yn grêt, ef mae'n ffaid i mi gyfaddef y byddwn i'n hapusach o fod yn agosach at Cled neu Siân."

Ar ôl llowcio'i frecwast a'i sudd afal pîn, dilynodd Cledwyn ei chwaer a Gili Dŵ i fyny'r grisiau, gyda Eiry'n galw arnynt i fwynhau eu hunain. Roedd y coridor ar ben y grisiau arall yn debyg iawn i'r coridor ble roedd llofft Cledwyn, heblaw bod y lluniau'n dangos cestyll a phlastai anferth yn hytrach na phobol. Daliodd Siân yn llawes Cledwyn a'i dynnu tuag at ddrws ei llofft.

Er bod ystafell wely Siân tua'r un maint ag un Cledwyn, cawsai ei haddurno'n hollol wahanol. Ymestynnai lliain denau tryloyw o ddefnydd o'r nenfwd at y gwely, fel llenni llaes, gan ddisgleirio fel sêr. Porffor tywyll oedd y papur wal ac un blodyn enfawr wedi'i baentio'n gywrain ar bob wal. Roedd y carped yn goch a thrwchus, a safai dwy wardrob bob ochr i'r gwely.

"Ew, dyma chi gfand," meddai Gili Dŵ wrth syllu o'i gwmpas yn llawn edmygedd.

"Del iawn," meddai Cledwyn, er ei fod yn meddwl bod yr ystafell yn rhy ferchetaidd o lawer. "Siân? Pam rwyt ti'n dal i wisgo dy ffrog betalau? Oes 'na ddim dillad newydd i ti yn y cypyrddau?"

Gwenodd Siân. " Mi edrychais i'r bore 'ma ac mi roedden nhw'n wag. Felly mi holais i Eiry a oedd ganddi unrhyw beth glân fyddai'n fy ffitio i, ac mi ddysgodd fi sut i ddefnyddio'r ddwy wardrob yma. Dewch i ni gael trio."

Aeth y tri draw at y wardrob yr ochr bella i'r ystafell, a

gosododd Siân gledr ei llaw ar y drych ar ddrws y wardrob. Cymylodd y drych yn syth wrth iddi ei gyffwrdd, fel petai o'n llawn cymylau, a doedd dim posib gweld adlewyrchiad ynddo o gwbl.

"Ffrog laes," meddai Siân, a bron cyn iddi orffen dweud y geiriau, ymddangosodd ffrog wen laes yn y drych. Roedd ei llawes a'r sgert yn anhygoel o hir. "Ddim mor llaes â hynna!" meddai Siân, ac yn syth bin, diflannodd dwy droedfedd oddi ar waelod y sgert. "Coch, gyda llawes fer," meddai Siân wedyn, a throdd y ffrog wen yn goch llachar, a diflannodd dri chwarter y llawes.

"Mae hynna'n anhygoel," meddai Cledwyn gan chwerthin.

"Gfêt," ychwanegodd Gili Dŵ, gan syllu ar y drych fel petai o wedi'i hudo.

"Sêr bach duon ar y sgert," ychwanegodd Siân, ac ymddangosodd sêr bach del ar y ffrog. "A botymau i lawr y tu blaen i'r ffrog. Na, botymau llai na rhei'na! Dyna ni! Perffaith!"

Agorodd Siân ddrws y wardrob ac, er mawr syndod i Cledwyn, dyna lle roedd y ffrog ar hangyr yng nghanol y wardrob. Rhoddodd Siân sgrech fach o gyffro, cyn tynnu'r ffrog allan a bodio'r defnydd yn llawn edmygedd.

"O'n i'n meddwl dy fod ti ddim yn hoff o ffrogiau," meddai Cledwyn, a chochodd Siân.

"Dim ond eisiau dangos i ti sut mae'r wardrob yn gweithio," meddai Siân, gan osod y ffrog ar y gwely.

"Paid ti â gwfando af Cled," meddai Gili Dŵ. "Mi fyddi di'n edfych yn bfydfefth dfos ben yn dy ddillad newydd. Ond dwed wftha i... sut gwyddost ti y bydd hi'n dy ffitio di?"

"Mi ddywedodd Eiry y byddai'r dillad yn ffitio'r rhai sy'n eu creu. Tria di, Gili Dŵ!"

"Fi?" meddai Gili Dŵ. "O, dwn i ddim. Fydw i'n cael ffasiwn dfafferth i ddod o hyd i dfowsusau sy'n ddigon byf i 'nghoesa i... Wel, olfeit ta." Cyffyrddodd Gili Dŵ yn nrych y wardrob, ac fe gymylodd yn syth. "Siwt felen. Gyda lluniau o fofon a fwdan afnyn nhw..."

Ymhen awr, roedd pentwr anferth o ddillad ar wely Siân. Creodd Siân gasgliad o ffrogiau gwirioneddol hardd, roedd gan Gili Dŵ bedair siwt anarferol dros ben, a mwynhaodd Cledwyn ddyfeisio'r dillad mwyaf dwl y gallai eu dychmygu. Diolch i'r sgrin fawr flodeuog yng nghornel yr ystafell, gwnaeth y tri drio pob un o'u creadigaethau, a Cledwyn oedd yr unig un a wisgai'r un dillad ag oedd ganddo adeg brecwast y bore hwnnw. Gwisgai Siân ffrog wen ysgafn, gyda chregyn bach hardd wedi'u gwnïo wrth waelod y sgert, ac edrychai Gili Dŵ'n fodlon iawn yn ei siwt oren, gyda lluniau o depotau gwyrdd llachar drosti.

"Dylet di fod yn gynllunydd dillad," meddai Cledwyn wrth syllu ar ei chwaer. "Mae'r ffrog yna'n anhygoel."

"Y wardrob wnaeth hi, ddim fi," atebodd Siân, ond gallai Cledwyn weld ei bod hi wrth ei bodd o glywed ei eiriau canmoliaethus.

"Dy syniad di oedd o, ynte?" meddai Cledwyn, a gwenodd Siân ar ei brawd.

"Hei, tydw i heb ddangos fy stafell molchi i chi eto!" Rhuthrodd Siân allan o'i llofft ac arwain Cledwyn a Gili Dŵ i'r ystafell nesaf.

Roedd stafell ymolchi Siân o aur ac arian sgleiniog ac yn codi cur pen ar Cledwyn. Roedd y bath yng nghanol yr ystafell yn edrych fel petai o wedi'i wneud o aur pur, y sinc a'r tŷ bach yr un fath, a'r waliau a'r llawr yn arian. Roedd 'na gwpwrdd mawr aur yng nghornel yr ystafell, a bwrdd ymbincio gyda drych mawr ar ei ben. Roedd hyd yn oed y nenfwd yn arian.

"Grêt, tydi?" meddai Siân yn llawen.

"Anhygoel. Hollol anhygoel. Ddychmygais i 'fioed y cawn i weld ffasiwn steil..." Roedd Gili Dŵ'n amlwg wrth ei fodd hefyd.

"Mae o'n anhygoel, tydi. Sbiwch." Agorodd Siân ddrysau'r cwpwrdd mawr. Roedd ynddo gannoedd o boteli bach amryliw, pob un â label bach ac ysgrifen hen-ffasiwn arno yn datgan cynnwys y botel: sudd rhosyn, petalau pansi, a chwyr cyrlio gwallt. Syllodd Siân ar y poteli gydag edmygedd. Doedd gan Cledwyn ddim syniad beth oedd rhywun i fod ei wneud â sudd rhosyn na phetalau pansi. "Mae'r holl ystafell mor..."

"Aur," torrodd Cledwyn ar ei thraws. "Ac arian. Mae'r holl ddisgleirio yma'n brifo fy llygaid i. Wn i ddim sut sut y medri di..."

Pwyntiodd Cledwyn at y tŷ bach, chwarddodd Siân yn ddireidus, a twt-twtiodd Gili Dŵ.

"Mae fy stafell molchi i'n well o lawer na hon. Pysgod aur a... Wel! Dowch i weld!"

Treuliodd Siân, Cledwyn a Gili Dŵ awr ddymunol iawn yn edrych ar ystafelloedd Cledwyn. Roedd Siân yn hoff iawn o'i ystafell wely gyda'i bapur wal o goed ("cyn belled â bod 'na ddim Marach yn y coed yma, ynte!") ac roedd Gili Dŵ wedi gwirioni gyda'r pysgod aur ar waliau'r stafell ymolchi. Câi pawb hwyl yn eu henwi nhw, pan glywson nhw sŵn gong fawr yn taro i lawr y grisiau.

"Amser cinio, mae'n rhaid!" meddai Siân, gan lamu am y drws. "Dwi ar lwgu!"

Roedd Cledwyn yn hapus iawn o weld Eiry'n eistedd wrth y bwrdd bwyd ac yn aros amdanynt gyda gwên fwyn ar ei hwyneb.

"Roeddwn i'n amau y byddech chi'n arbrofi gyda wardrob Siân," meddai Eiry wrth edrych ar eu dillad newydd.

"O, Eiry, mae hi'n anhygoel!" meddai Siân gan wenu fel giât.

"Yndi wif," meddai Gili Dŵ gan edrych i lawr ar ei siŵt newydd. "Tydw i 'fioed wedi cael dillad mof hafdd â'f ffain o'f blaen." Edrychodd i lawr ar ei blât a dweud, "Taten bob gyda bîns, mefus a chaws."

"Ac mi rydan ni wedi bod yn gwylio'r pysgod yn fy stafell molchi i," meddai Cledwyn. "Brechdan fanana!"

"Porc gyda llysiau rhost," meddai Eiry, cyn holi, "gawsoch chi hyd i lofft i Gili Dŵ eto?"

"Dim eto," atebodd Siân. "Ond mi wnawn ni chwilio ar ôl cinio. Cawl cyw iâr a thost milwyr."

Drwy'r pryd bwyd, bu Siân, Cledwyn a Gili Dŵ'n parablu am eu hanturiaethau'r bore hwnnw. Bu llawer o chwerthin wrth ddisgrifio'r dillad a gafwyd o'r wardrob, ac roedd Eiry'n ymddangos yn hapus iawn fod pawb wedi cael y ffasiwn fwynhad yn ei phalas.

"Pam na ddowch chi efo ni pnawn 'ma, i chwilio am ystafell i Gili Dŵ?" gofynnodd Cledwyn i Eiry.

Ysgydwodd hithau ei phen.

"Mae arna i ofn na fyddwch chi'n gweld llawer iawn ohona i yn ystod y dydd. Mae 'na lawer o waith papur i'w wneud pan mae gennych chi balas mor fawr â hwn, ac, wrth gwrs, mi rydw i'n tendio ar eich nain. Ond chwiliwch chi am ystafell i Gili Dŵ, ar bob cyfri, a mwynhewch!"

"Ydi Nain yn iawn?" gofynnodd Cledwyn. Roedd o wedi bod mor brysur yn cael hwyl, bu bron iddo anghofio am ei nain druan a hithau, mae'n siŵr, yn hiraethu amdano ef a Siân.

"Mae hi'n llawn cyffro eich bod chi wedi cyrraedd!" atebodd Eiry gyda gwên. "Ond mae hi'n dal yn flinedig iawn, ac yn wan ar ôl ei siwrne. Mae ganddi dwmpath o lyfrau, ac mae hi'n tueddu i aros yn ei gwely i ddarllen. Mae dod yma fel gwyliau iddi!" Chwarddodd Eiry ond teimlai Cledwyn hiraeth ar ei hôl.

"Paid ti â digalonni rŵan, Cled," meddai Siân gan lygadu ei brawd. "Mi fydd Nain yn iawn, ac mi gawn ni ei gweld hi cyn bo hir. Rŵan ta, ydi pawb yn barod? Esgusodwch ni, Eiry... Mae'n bryd i ni ddod o hyd i lofft i Gili Dŵ!"

Bu'r prynhawn hwnnw'n un llawn hwyl a chwerthin. Roedd y plasty yn anferth, gyda degau o goridorau hir, cannoedd o lofftydd a phob un yn llawn o bethau diddorol. Cawsai pob llofft ei haddurno'n wahanol, a doedd dim un yn anniddorol na phlaen. Gwirionodd Cledwyn ar lofft lle roedd cymylau ac awyr las ar y waliau ac ar y nenfwd, ac roedd camu i mewn iddi fel camu i mewn i'r nefoedd. Credai Gili Dŵ'n siŵr iddo weld aderyn yn hedfan ar draws y papur wal, ond erbyn i Cledwyn a Siân edrych roedd o wedi diflannu y tu ôl i gwmwl.

Gwirionodd Siân ar lofft ar lawr uchaf y plasty – ystafell las olau gyda phiano mawr ar ganol y llawr. Wedi galw enw unrhyw gân, byddai'r piano'n ei chwarae heb fod angen bysedd i gyffwrdd â'r nodau. Treuliodd y tri hanner awr ddifyr iawn yn gwrando ar gerddoriaeth hyfryd a chymhleth.

Doedd pob ystafell ddim mor groesawgar. Cawsai un ystafell ei gorchuddio â miloedd o lygaid bychain ar y papur wal, a dilynai'r llygaid Cledwyn, Siân a Gili Dŵ wrth iddynt gerdded o gwmpas. Arhoson nhw ddim yno'n hir. Roedd ystafell arall, ar yr un coridor â llofft Siân, yn llawn anifeiliaid wedi'u stwffio, ond doedd neb yn teimlo'n gyfforddus iawn yn honno chwaith.

Daeth hi'n amlwg iawn i bawb pa un fyddai ystafell newydd Gili Dŵ. Er nad oedd hi at ddant Cledwyn na Siân, gan fod ynddi bapur wal gyda phatrymau mawr o flodau crand a rhubanau lliwgar, eto i gyd plesiai Gili Dŵ'n fawr.

"Ewadd annwyl," meddai Gili Dŵ gan eistedd ar y gwely. "Am steil! Fo'n i wedi bwfiadu gwneud ffywbeth tebyg ym Mhendfamwnwgl, ond mae Cfug yn lle anodd iawn i gael gafael af bapuf wal, wyddoch chi…"

"A dwyt ti ddim ond pedwar drws draw o fy llofft i!" meddai Cledwyn.

"Mae hyn yn gfêt, ydi wif!" meddai Gili Dŵ gyda gwên anferth ar ei wyneb. "Cael bod yma gyda chyfeillion mof dda…"

Gwenodd Cledwyn ar Gili Dŵ, a gwyddai y byddai cael ffrind mor agos yn gwneud y plasty yn llawer mwy cartrefol.

Treuliodd Cledwyn, Siân a Gili Dŵ noson hapus yn ystafell newydd Gili Dŵ, yn sgwrsio ac yn hel atgofion am eu hanturiaethau yng Nghrug. O gwmpas y bwrdd bwyd y noson honno, ymddangosai Eiry'n hapus iawn o glywed bod Gili Dŵ wedi dod o hyd i ystafell wely newydd.

"Wnaethoch chi fwynhau dod i adnabod y plasty?" gofynnodd, wrth fwyta ei chawl cennin.

"Ew do, roedd o'n grêt," meddai Cledwyn gan wenu.

"Oedd wir. Yr unig le ar ôl i'w archwilio rŵan ydi'r ardd!" meddai Siân, gan gymryd llond ceg o selsigen.

Stopiodd Eiry fwyta'i chawl gan edrych ar Siân mewn penbleth. "Oes rhaid i chi fynd i'r ardd? Does 'na ddim digon o bethau i'ch diddanu chi o fewn y plasty?"

"Wrth gwrs bod 'na!" meddai Cledwyn gan drio'i orau i blesio'i fam. Ond doedd Siân ddim yn fodlon ildio mor rhwydd.

"Mae pawb angen awyr iach, 'yntydi?" meddai, gan syllu'n benderfynol ar Eiry. "Allwn ni ddim aros yn y tŷ am byth!"

"Ond mae hi'n beryg..."

"Pam? Oes 'na bethau'n byw yn yr ardd?"

"Wel nac oes, ond mae Crug yn llawn o hen bethau..."

"Fydd dim byd yn gallu dod dros y wal fawr 'na, Eiry."

Syllodd Siân ac Eiry ar ei gilydd am ychydig, ac roedd Cledwyn, er ei fod o'n cytuno gyda Siân, yn cydymdeimlo gydag Eiry'n awr. Byddai Siân yn syllu arno ef fel yna'n aml, ac anodd iawn oedd ennill dadl yn ei herbyn.

"Dowch, Eiry!" meddai Siân. "Rydan ni wedi gallu teithio'r holl ffordd yma, wedi dod wyneb yn wyneb â phob math o greaduriaid. Siawns na allwch chi ymddiried ynddon ni i edrych ar ôl ein hunain yn yr ardd?"

Edrych ar ei phlât wnaeth Eiry, cyn dod i benderfyniad. "O'r gorau. Mi gewch chi fynd allan bore fory, ar ôl brecwast."

Roedd y tawelwch a ddilynodd y ddadl yn anghyfforddus a cheisiai Cledwyn feddwl am rywbeth i'w ddweud a fyddai'n lleddfu'r tensiwn, ond allai o ddim meddwl am ddim byd. Arhosodd yr olwg benderfynol ar wyneb Siân, a chododd Eiry mo'i phen oddi ar ei phlât.

Gorweddai Cledwyn yn effro yn ei wely'r noson honno'n

teimlo'n eithaf anghyfforddus. Roedd gwybod bod Gili Dŵ mewn llofft gyfagos yn gwneud iddo deimlo'n llai ynysig, ond gwyddai Cledwyn fod y gwrthdaro a ddigwyddodd dros swper yn arwydd nad oedd popeth mor berffaith ag y byddai wedi gobeithio iddynt fod.

Deffrodd Cledwyn y bore wedyn yn ffyddiog y byddai Siân yn siŵr o fod yn hapusach unwaith y câi hi fynd am dro yn yr ardd. Cnociodd ar ddrws Gili Dŵ ar y ffordd i lawr i gael brecwast, a cherddodd y ddau gyda'i gilydd i'r ystafell fwyta. Roedd Gili Dŵ wedi cael noson ragorol o gwsg.

"Tydw i 'fioed wedi cysgu mewn gwely mof esmwyth! Heblaw, efallai, am fy ngwely bach i yn y cypyfddau nôl ym Mhendfamwnwgl, ond nid gwely ydi hwnna, naci, ddim go iawn. Ac foedd cael dihuno mewn ystafell yn llawn steil, a gwybod bod bfecwast blasus yn fy nisgwyl, ac y cawn i dfeulio diwfnod cyfa afall gyda 'nghyfeillion – wel, pafadwys!" Gwenodd Gili Dŵ'n llydan. "Gest ti gwsg da, Cled?"

"Do. Er i mi fod yn effro am 'chydig, yn meddwl am neithiwr."

"O diar," meddai Gili Dŵ gan grychu ei dalcen. "Y ddadl. Fown i'n teimlo'n feit anghysufus."

"Braidd. Mae Eiry wedi bod mor garedig, 'yntydi... Tydw i ddim yn licio gweld Siân yn ei hypsetio hi."

"Wel, mi fydw i'n deall be 'sgen ti. Ond meddylia di, Cled... Mae Siân yn dweud y gwif. Tydan ni'n methu afos dan do am byth, yn enwedig a'f tywydd mof bfaf."

"Wn i," cytunodd Cledwyn yn brudd. "Ond tydw i ddim yn licio 'u gweld nhw'n dadlau."

Roedd yr awyrgylch adeg brecwast y bore hwnnw yn well o lawer na'r swper y noson cynt. Gwnâi Eiry a Siân eu gorau i anghofio'r ddadl, ac roedd gwên annwyl Eiry wedi dychwelyd. Pan adawodd Siân, Cledwyn a Gili Dŵ am yr ardd, dywedodd Eiry wrth y tri am fwynhau eu hunain.

Mor braf oedd yr ardd, ac yn ddigon mawr i allu treulio bore cyfan yn mwynhau cerdded yn hamddenol ynddi. Roedd pob math o goed a blodau ynddi, a golygfa hyfryd o'r plasty o bob cornel yn yr ardd. Parablai'r tri yn ddi-stop, wrth gasglu blodau a gwylio'r adar lliwgar. Er bod Cledwyn a Gili Dŵ'n llawn chwerthin, doedd fawr o hwyl ar Siân. Wrth i'r giât fawr ddod i'r golwg, stopiodd Siân ac ochneidio'n uchel.

"Be sy'n bod, Siân?" gofynnodd Gili Dŵ. "Dwyt ti ddim yn ti dy hun. Dydi'f afdd ddim yn dy blesio di?"

"Mae'r ardd ei hun yn hyfryd. Honna sy'n fy mhoeni i," Pwyntiodd Siân at y wal fawr, oddeutu ugain troedfedd o uchder.

"Mae'n rhaid ei chael hi, siŵr!" ebychodd Cledwyn, "neu mi fyddai pob math o greaduriaid yn dod i mewn yma!"

"Dwi'n gwybod hynny, Cled! Ond mi fysa'n braf cael mynd allan am ychydig, 'yn bysa?"

"Na fysa." Roedd Cledwyn yn dechrau colli ei dymer. "Mi wyddost ti cystal â finna pa mor beryglus ydi hi allan yn fa'na. Tydw i ddim yn dy ddeall di, Siân."

"Dowch fwan," meddai Gili Dŵ, gan edrych o'r naill i'r llall yn nerfus. "Does dim eisiau…"

"A tydw inna ddim yn dy ddeall di, Cled! Wyt ti ddim yn deall? Dyma fydd ein bywydau ni! Yn sownd yn fan hyn, yn gweld neb ond ein gilydd…"

"Wel, mae'n ddrwg iawn gen i os nad ydw i'n ddigon da i ti," ebychodd Cledwyn yn biwis.

"Mi wyddost ti'n iawn be dwi'n feddwl. Dim ffrindiau, dim ysgol, ac mi gei di anghofio pob breuddwyd oedd gen ti am fod yn arlunydd pan fyddi di'n hŷn. Mi fyddwn ni'n crwydro o amgylch y plasty a'r gerddi am weddill ein bywydau."

Bu bron i Cledwyn ffrwydro yn ei dymer. "Wedi i ni ddod o hyd i fam glên, garedig a chael symud i mewn i'w phalas mawreddog, dim ond ti wedyn allai ddod o hyd i rywbeth i gwyno amdano! Roeddat ti mor hapus pan welist ti Eiry am y tro cynta, a rŵan, ddeuddydd yn ddiweddarach, mi rwyt ti'n anhapus yn barod! Does 'na ddim plesio arnat ti, Siân!"

Ochneidiodd Siân cyn troi ar ei sawdl a cherdded tuag at y plasty. Syllodd Cledwyn a Gili Dŵ ar ei hôl.

"Bfawd a chwaef yn cwefyla," meddai Gili Dŵ gan ysgwyd ei ben. "Beth nesa?"

"Ei bai hi oedd o," meddai Cledwyn, er nad oedd o'n hollol siŵr mai dyna oedd y gwir go iawn. "Yn cwyno o hyd." Ond teimlai Cledwyn yn anghyfforddus wrth edrych ar ei chwaer yn eu gadael ar ei phen ei hun.

Pennod 10

Aᴇᴛʜ ʏ ᴅʏᴅᴅɪᴀᴜ nesaf heibio'n ddiog a hwylus, er nad oedd gan Siân lawer o ddiddordeb mewn treulio'i hamser gyda Cledwyn a Gili Dŵ. Byddai hi'n diflannu i'w llofft rhwng prydau bwyd, a doedd hi byth yn derbyn gwahoddiad Cledwyn a Gili Dŵ i dreulio'r diwrnod gyda nhw. Er hynny, llwyddodd y ddau i fwynhau eu hunain wrth grwydro o amgylch y plasty. Bellach roedden nhw'n adnabod pob ystafell, yn ogystal â phob cornel o'r gerddi. Sgwrsio y byddai'r ddau y rhan fwyaf o'r amser, Cledwyn yn sôn am Aberdyfi a Gili Dŵ'n parablu am ei fywyd ym Mhendramwnwgl. Daeth Cledwyn i wybod pa mor bleserus oedd cael ffrind da am y tro cynta erioed.

Bob bore byddai Cledwyn yn gofyn dros frecwast a oedd Nain yn barod i'w weld o bellach, ac Eiry'n ateb drwy ddweud ei bod hi'n dal braidd yn wan ac yn flinedig. Tyfu wnâi ei siom o ddydd i ddydd, a'r awch am ei gweld yn cryfhau'n ddyddiol. Sylwodd Gili Dŵ ar siom Cledwyn a gwnâi ei orau i'w ddiddanu drwy adrodd straeon doniol a dweud jôcs – doedd y rhan fwya ohonyn nhw ddim yn gwneud fawr o synnwyr o gwbl.

Ymhen rhyw wythnos yn y plasty, deffrodd Cledwyn a sylweddoli nad oedd ganddo ddim i'w wneud. Bellach roedd o'n adnabod pob ystafell yn y lle, ac wedi dringo'r rhan fwyaf o goed y gerddi. Pan aeth i nôl Gili Dŵ er mwyn i'r ddau gael mynd am frecwast, crawciodd y creadur bach o berfeddion ei wely bod ganddo gur pen, ac nad oedd o am godi o'r gwely y diwrnod hwnnw.

"Wyt ti'n iawn?" gofynnodd Cledwyn.

"Mi fydda i'n iawn af ôl cael diwfnod o gwsg. Mi dwi'n cael yf hen guf pen yma'n feit aml, Cled, paid ti â phoeni."

Ar ôl brecwast o dost a mêl, a sudd grawnffrwyth pinc, ciciodd Cledwyn ei sodlau o amgylch yr ystafell fwyta ymhell ar ôl i Eiry a Siân adael, gan drio meddwl am rywbeth i'w wneud. Penderfynodd fynd i weld ei chwaer, ac ymddiheuro am y ddadl a godasai rhyngddynt. Collai ei chwmni, a doedd o ddim yn hoffi ei gweld hi'n anhapus.

Daeth Cledwyn o hyd iddi'n eistedd mewn cadair wrth y ffenestr yn ei hystafell wely. Roedd gweld Siân yno'n gwneud dim byd yn sioc i Cledwyn; un fywiog iawn fyddai hi fel arfer. Trodd Siân i edrych arno.

"Iawn, Cled?" gofynnodd yn dawel. Nodiodd yntau cyn croesi'r ystafell ac eistedd ar erchwyn y gwely.

"Be ti'n g'neud, Siân?"

"Dim byd," atebodd Siân, gan droi nôl i edrych drwy'r ffenestr. "Dim byd o gwbl."

"Pam?" gofynnodd Cledwyn yn syn. "Wyt ti'n sâl?"

"Nac ydw."

Bu Cledwyn yn dawel am ychydig wrth geisio meddwl beth i'w ddweud. Roedd tawelwch Siân yn ei boeni'n fwy na dim.

"Mae'n ddrwg gen i, Siân."

"Am be?"

"Am yr hen ffrae wirion yna'r diwrnod o'r blaen."

"Mae'n iawn. Ro'n i wedi anghofio am y peth."

Gwnaeth hyn i Cledwyn boeni'n fwy fyth. Fyddai Siân byth yn anghofio ffrae.

"Pam nad wyt ti'n gwneud rhywbeth, Siân?"

"Fel be?"

"Fel... gwneud mwy o ddillad yn dy wardrob!"

Cododd Siân a chroesi'r ystafell at y wardrob. Agorodd y drysau a gwelodd Cledwyn ei bod hi'n llawn dop o ddillad hyfryd, moethus.

"Ond mae gen ti ddwy wardrob!"

"Mae'r llall yn llawn hefyd."

"Wel, be am gael bath? A defyddio'r hylifau 'na yn dy wallt..."

"Mi ges i fath cyn brecwast, Cled."

"Wel, sgwenna lythyr 'ta!"

Trodd Siân ac edrych ym myw llygad ei brawd. Aeth draw at ei gwely a thynnu cwdyn mawr o bapur o'i guddfan o dan ei gobennydd. Cawsai'r papur ei orchuddio'n llwyr â llawysgrifen fach dwt Siân.

"Llythyr i Beryl, Cled! Dwi wedi dweud popeth sydd wedi digwydd, wedi ysgrifennu pob manylyn am y Marach, am Gili Dŵ, am y plasty, am Eiry... Does gen i ddim ar ôl i'w ddweud!"

"Ond, Siân..."

"A be ydi'r pwynt i mi sgwennu, beth bynnag? Chaiff Beryl byth mo'i ddarllen o! Dwi 'di gofyn i Eiry... Does 'na ddim ffordd o anfon llythyr o fan hyn i Aberdyfi..." Ochneidiodd Siân ac eistedd ar y gwely wrth ymyl Cledwyn.

"Do'n i ddim yn sylweddoli dy fod ti mor anhapus â hyn," meddai Cledwyn, gan weld yr anobaith yn llygaid ei chwaer.

"Ddim yn anhapus, Cled, ddim yn union. Ond mae bywyd mor ddiflas! Mae'r wardrob yn gwneud dillad hyfryd, ond does gen i nunlle i fynd i'w gwisgo nhw! Mae'r stafell molchi yn hyfryd, ond does 'na ddim pwynt ymbincio a gwneud fy ngwallt yn ddel er mwyn aros yn y tŷ drwy'r dydd! Mae'r plasty yn hyfryd, Cled, ond tydi hynna ddim yn golygu 'mod i eisiau bod ynddo drwy'r dydd, bob dydd!"

"Ond… mae ar Eiry ofn i ni adael y plasty…"

"Ac mae arna inna ofn aros yn y plasty am weddill fy mywyd!"

Eisteddodd y ddau mewn tawelwch am ychydig. Roedd Cledwyn yn llawn anobaith. Roedd hi'n amlwg bod Siân yn hiraethu'n fawr am Aberdyfi ac am ei ffrindiau, a methai Cledwyn yn lân â meddwl am ffordd o godi'i chalon. Heblaw am un peth, a theimlai Cledwyn yn sâl wrth feddwl am hynny.

"Siân," sibrydodd. "Wyt ti eisiau mynd yn ôl i Aberdyfi?"

Ochneidiodd Siân. "Na, fyddai Eiry byth yn dod efo ni. Mi fydd hi'n aros yma yng Nghrug."

"Fysat ti'n mynd yn ôl hebddi?"

Gwelodd Cledwyn ddeigryn bach yn powlio i lawr grudd ei chwaer. "O, Cled bach, paid ti â phoeni. Mi fydda i'n iawn. Unwaith y ca' i weld Nain, mi fydda i'n teimlo'n well."

Gwyddai Cledwyn y byddai pethau'n llawer gwell unwaith y byddai Nain yn barod i'w gweld nhw, ond sylweddolai hefyd erbyn hyn y byddai Siân, yn hwyr neu'n hwyrach, eisiau mynd yn ôl at ei ffrindiau.

Bu'r dyddiau nesaf yn ddiwrnodau hir a braf, a theimlai Cledwyn yn hapus o weld bod diwrnod yn y gwely wedi cael gwared ar gur pen Gili Dŵ, a'i fod yn holliach erbyn hyn. Ond methai Cledwyn â chael gwared ar y teimlad nad oedd ganddo yntau erbyn hyn ddim byd ar ôl i'w wneud yn y plasty. Treuliai Gili Dŵ ac yntau lawer o'u hamser yn eistedd ar y glaswellt yn y gerddi yn gwneud dim byd. Yn araf iawn, o ddydd i ddydd, tyfodd diflastod Cledwyn, a chyda hynny, tyfodd ei anniddigrwydd. Treuliai ddyddiau cyfan ar ei gefn yn gwylio'r cymylau ac yn hel atgofion am Aberdyfi, a hyd yn oed am ei ysgol. Soniai Gili Dŵ'n aml am Bendramwnwgl, a gwyddai Cledwyn fod gan y creadur bach hiraeth mawr am ei gartref. Roedd Cledwyn wedi diflasu'n llwyr.

Wrth gerdded yn y gerddi un diwrnod, aeth Cledwyn a Gili Dŵ draw i ben pella'r ardd, a safodd y ddau wrth y giât gan syllu ar y tir tu hwnt. Roedd coed yn amgylchynu'r plasty, a doedd hi ddim yn bosib gweld yn bell iawn.

"Tybed lle mae'f Cnofc efbyn hyn?" gofynnodd Gili Dŵ.

"A Gwachell!" meddai Cledwyn. "Mae'n siŵr ei bod hi'n braf iawn wrth yr afon ar ddiwrnod fel heddiw."

"Ac ym Mhendfamwnwgl. Mae'n siŵr ei bod hi'n gynnes bfaf yn yf afdd acw. Mae'n siŵf bod 'na hen oglau yn y tŷ efbyn hyn – tydi'f lle heb gael awyf iach efs i ni adael. Bydd angen agof y ffenestfi..."

Am eiliad, dychmygodd Cledwyn sut beth fyddai dringo dros y giât, a mynd i weld pawb a phopeth a welson nhw ar y ffordd yno... Mynd i Bendramwnwgl gyda Gili Dŵ, cael chwerthin a mynd am dro, a chael rhyddid i wneud fel y mynnent...

Ding–ding! Ding–ding!

Neidiodd Cledwyn wrth glywed sŵn clychau'n llenwi'r awyr, yn uwch nag a glywsai erioed o'r blaen. Edrychodd draw ar Gili Dŵ, ond roedd hwnnw'n dal i hel atgofion am Bendramwnwgl – doedd o'n amlwg ddim yn clywed y clychau o gwbl. Sylweddolodd Cledwyn nad oedd o chwaith wedi'u clywed ers amser maith. Eisteddodd ar y glaswellt am ychydig, yn ceisio deall pam mai ef yn unig fyddai'n clywed y clychau, ond roedd o'n methu'n lân â meddwl beth oedd arwyddocâd hyn i gyd. Wrth iddo feddwl, tawelodd y clychau a diflannodd y sŵn yn gyfan gwbl.

Roedd y clychau fel petaen nhw wedi clirio'r cymylau o feddwl Cledwyn. Dechreuodd syniad hel yn ei feddwl, a safodd ar ei draed. Cawsai Nain ddigon o amser i ddod ati hi ei hun – roedd yn rhaid gwneud rhywbeth am hynny.

Rhedodd Cledwyn drwy'r gerddi mor gyflym ag y medrai. Roedd ganddo gynllun, a chan fod ganddo rywbeth i'w wneud cawsai ei fywiogi'n llwyr.

"Cled? Lle yn y byd fwyt ti'n mynd?" holodd Gili Dŵ wrth redeg y tu ôl iddo. "Eisiau mynd i'f tŷ bach wyt ti?"

"Tyrd!" gwaeddodd Cledwyn, gan redeg i fyny'r grisiau o flaen y plasty a thrwy'r drws mawr. Pasiodd y llun anferthol ohono ef a Siân pan oedden nhw'n blant bach, a rasiodd i fyny'r grisiau at lofft ei chwaer. Arafodd wrth agosáu at ddrws ei llofft. Doedd o ddim yn sicr beth fyddai ymateb Siân i'w gynllun.

"Be sy'n mynd ymlaen, Cled?" Cyrhaeddodd Gili Dŵ â'i wynt yn ei ddwrn. "Tfio cadw'n heini wyt ti? Achos, mae'n ffaid i mi gyfadde, tydw i ddim yn gfêt am ffedeg fasus... ac mae 'nghoesa i gymaint yn fyf-fach na dy fai di..."

Anwybyddodd Cledwyn barablu ei ffrind bach, ac agorodd y drws i lofft Siân. Gorweddai hi ar y gwely'n syllu ar y nenfwd, a golwg hollol ddiflas ar ei hwyneb. Trodd i edrych ar Cledwyn a Gili Dŵ.

"Haia," meddai Siân heb godi oddi ar ei gwely. "'Dach chi'n iawn?"

"Dwn i ddim wif," meddai Gili Dŵ, yn fyr ei wynt ar ôl rhedeg. "Mae Cled yn ymddwyn yn feit od..."

"Gwrandewch!" meddai Cledwyn. "Mae gen i gynllun!"

Eisteddodd Siân i fyny a syllu ar ei brawd.

"Meddwl oeddwn i fod Nain wedi cael hen ddigon o amser i ddod ati hi ei hun erbyn hyn, 'yntydi? Dwi'n siŵr y byddai hi wrth ei bodd yn ein gweld ni bellach. Ac mae'n amlwg does na'm pwynt holi Eiry am y peth – dwi'n gofyn bob bore ers i ni gyrraedd, a tydw i byth wedi cael ei gweld hi."

"Wel, does na'm llawer medrwn ni 'i wneud am y peth, heblaw mynd i chwilio amdani ein hunain," meddai Siân.

Gwenodd Cledwyn yn ddireidus ar ei chwaer, a lledodd ei llygaid hithau wrth ddechrau sylweddoli beth oedd cynllun Cledwyn.

"Dwyt ti ddim o ddifri!"

"Mi fydd hi'n amser cinio ymhen rhyw awr, ac mi fydd ystafelloedd Eiry'n wag bryd hynny. Mi fydd yn rhaid i ddau ohonon ni fynd i gael ein cinio fel arfer, neu mi fydd Eiry'n amau bod rhywbeth ar droed. Mi fydd yn rhaid dweud wrthi fod un ohonon ni'n teimlo'n sâl."

"Tofi i mewn i ystafelloedd Eify?" holodd Gili Dŵ'n syn. "Allwn ni ddim..."

"Tydw i ddim yn gweld bod unrhyw ddewis arall ganddon ni, Gili Dŵ. Mae Siân a finna angen gweld Nain!"

Ochneidiodd Gili Dŵ. "Yndach siŵf. Ond ew, mae o'n gynllun pefyglus! Beth os aiff Eify i fyny i'f llofft i weld pa mof sâl ydach chi, a gweld nad ydach chi yno o gwbl?"

"Wnaiff hi ddim! Mi fydd hi'n meddwl ein bod ni'n cysgu," meddai Cledwyn yn llawn cyffro. "Dowch 'mlaen."

"Wel," meddai Siân, â gwên fach ar ei gwefusau. "Dwi'n meddwl 'i fod o'n syniad grêt."

"Wir yr?" gofynnodd Cledwyn, ac roedd wrth ei fodd o weld

bod ei chwaer yn dechrau bywiogi.

"Wrth gwrs! Er, fyddwn i byth wedi dychmygu y gallet ti feddwl am gynllun mor heriol, Cled. A finna'n meddwl dy fod ti'n hoffi chwarae'n saff..."

"Dwi'n meddwl bod hifaeth yn gwneud Cled yn ddewf iawn, Siân," meddai Gili Dŵ. "Neu yn wifion iawn, yn dibynnu af 'ych safbwynt."

"Pwy sydd am fynd i chwilio drwy stafelloedd Eiry 'ta?" gofynnodd Siân. "Ella byddai'n well i mi fynd. Wedi'r cyfan, fi ydi'r hyna, ac..."

"Ga i fynd?" gofynnodd Cledwyn yn dawel. Roedd ganddo deimlad ym mêr ei esgyrn mai fo ddylai fynd i chwilio am Nain. "Mi rydw i eisiau mynd."

"Eisiau mynd? Iesgob annwyl, ydi'f hogyn yn gall deudwch?" gofynnodd Gili Dŵ. "Mi a' i."

"Plîs, Gili Dŵ!" erfyniodd Cledwyn.

Ochneidiodd Gili Dŵ, ac edrychodd ar Siân. Nodiodd hithau ei phen cyn troi at ei brawd.

"Bydd mor dawel â phosib, Cled! A phaid ag aros yno'n rhy hir. Bydd yn rhaid i ti ddigwyl tan i Gili Dŵ a finna fynd am ein cinio, ac wedyn mi fydd yn rhaid i ti frysio o amgylch stafelloedd Eiry tan i ti ddod o hyd i Nain."

Nodiodd Cledwyn ar ei chwaer.

"A, Cled... Cofia fi at Nain, plîs?"

Eisteddodd y tri ffrind ar wely Siân am awr, yn sgwrsio ac yn dyfalu beth fyddai Cledwyn yn ei weld yn ystafelloedd Eiry. Roedd Siân yn poeni ychydig am ei brawd, a phan ganodd y gong fawr i alw'r tri at eu cinio, rhoddodd gusan fach iddo cyn ffarwelio.

"Dewch i fy llofft i ar ôl cinio, i mi gael dweud yr hanes wrthoch chi!" dywedodd Cledwyn yn llawn cyffro.

Cododd Gili Dŵ ei fawd bach brown ar Cledwyn cyn diflannu drwy'r drws.

Ar ôl syllu drwy'r ffenest am bum munud, a'i du mewn yn corddi, troediodd Cledwyn yn araf drwy'r drws. Doedd o erioed wedi sylwi o'r blaen mor swnllyd oedd y grisiau, gyda phob cam yn swnio fel cam eliffant i Cledwyn. Croesodd y neuadd at y drws y gofynnodd Eiry'n garedig iddyn nhw beidio â mynd trwyddo. Trodd y bwlyn a gwthio'r drws derw trwm.

Edrychai'r coridor fel fersiwn llai crand o goridor ei lofft ei hun, heblaw mai dim ond pedwar drws a arweiniai oddi arno. Pren moel anwastad oedd ar y llawr a'r waliau'n wyn ac yn foel. Doedd Cledwyn heb ddisgwyl hyn – yn wir, dychmygodd y byddai ystafelloedd Eiry'n fwy crand hyd yn oed na gweddill y plasty. Clustfeiniodd Cledwyn er mwyn ceisio clywed sŵn bywyd y tu ôl i'r drysau, ond roedd y tawelwch yn llethol. Agorodd y drws cyntaf.

Ymddangosai'r ystafell wely fel pe na bai unrhyw un wedi cyffwrdd ynddi ers canrifoedd. Bu'n ystafell grand unwaith, meddyliodd Cledwyn, ond doedd y swyn a gadwai weddill y tŷ'n lân ddim yn gweithio yn y fan hyn, roedd hynny'n amlwg. Roedd y gwely'n un mawr a physgod wedi'u cerfio ar y gwaith pren, ond synnodd wrth weld rhai tyllau yn y blancedi sidan. Roedd bwrdd ymbincio mewn un gornel o'r ystafell, ac arno fwclis aur, breichledau arian a chlustdlysau emrallt a rhuddem. Ond caent eu gorchuddio â haenen drwchus o lwch. Bu'r llenni o felfed lliw hufen yn grand yn eu dydd, ond edrychent yn ddigon llwyd a diraen bellach.

Safodd Cledwyn am ychydig, gan syllu o'i gwmpas. Am stad! Roedd hi'n amlwg nad oedd unrhyw un yn defnyddio'r ystafell hon, felly pam na wnaeth Eiry ei chlirio a'i glanhau? Aeth Cledwyn at y wardrob fawr. Agorodd y drysau'n betrus, yn hanner disgwyl i rywbeth neidio allan ohoni.

Roedd y dillad yn hen a'r lliwiau wedi dechrau pylu. Ar y naill ochr roedd casgliad mawr o ffrogiau hardd, y rhan fwyaf ohonynt o ddeunydd sidan neu les. Ar yr ochr arall roedd casgliad o siwtiau tywyll, smart yn hongian. Wrth fodio'r siacedi, dyfalodd Cledwyn mai dillad rhieni Eiry fu'r rhain. Doedd Cledwyn erioed wedi meddwl am ei nain a'i daid ar ochr ei fam cyn hynny, a theimlai'n eithaf trist wrth fod yma, yn eu llofft, yn gweld eu heiddo'n cael eu hesgeuluso ac yn hel llwch.

Ond chwilio am ei nain arall roedd Cledwyn, felly caeodd ddrws y wardrob, a gadawodd yr ystafell. Agorodd y drws nesaf, a gweld ystafell ymolchi fawr. Roedd hon yn lân ac yn eithaf crand, gyda bath mawr gwyn yng nghanol y llawr a chanwyllbrennau aur yn codi o'r llawr. Ond, wrth gau'r drws, meddyliodd Cledwyn fod 'na ddegau o ystafelloedd ymolchi hyfrytach na'r un yma yn y plasty. Pam, felly, bod Eiry'n defnyddio'r un yma?

Symudodd Cledwyn ymlaen at y drws nesaf, a stopiodd cyn ei agor wrth weld llythrennau mawr wedi'u paentio mewn pinc a phiws arno: 'EIRY'. Yn lle'r dotyn ar ben yr 'i', roedd 'na flodyn bach glas, ac roedd Cledwyn yn siŵr bod enw Eiry wedi bod ar y drws ers pan oedd hi'n blentyn. Gwthiodd y drws yn agored, yn araf.

Ystafell hyfryd iawn, i eneth fach. Roedd y waliau wedi'u gorchuddio â phili-palas, a'r lliwiau llachar yn ddigon i godi calon y person tristaf. Roedd sidan piws ar y gwely, cypyrddau bach piws bob ochr iddo, a wardrob fawr binc yng nghornel yr ystafell.

Felly, hon fyddai ystafell Eiry pan oedd hi'n blentyn. Ond yr hyn a achosai benbleth i Cledwyn oedd na fedrai arogli hen lwch nag aroglau ystafell na chawsai ei defnddio ers tro. Roedd aroglau hyfryd yn yr ystafell hon, fel cotwm newydd ei smwddio – aroglau dymunol Eiry. Pendronodd Cledwyn wrth agor y wardrob. Nid dillad plentyn oedd y tu mewn iddi, ond dillad Eiry! Ia, dyna'r ffrog sidanaidd wen a wisgai ddoe! Ond doedd bosib fod Eiry'n dal i gysgu yma, mewn ystafell wedi'i haddurno'n addas i ferch ifanc... Nid â hithau'n berchen ar gymaint o ystafelloedd gwely a chanddi cymaint o ddewis...

Ond doedd ganddo ddim amser i feddwl am hynny rŵan, atgoffodd Cledwyn ei hun. Roedd o wedi gwastraffu deng munud yn barod, a heb weld 'run arwydd o Nain. Dim ond un drws oedd ar ôl yn y coridor, felly rhaid bod Nain yn ei gwely y tu ôl i'r drws hwnnw.

Llamodd Cledwyn o ystafell Eiry a gwthio'r drws olaf ar agor. Bu bron iddo fyrstio o hapusrwydd... ac yntau ar fin gweld ei nain!

Gwibiodd llygaid Cledwyn o gwmpas corneli tywyll yr ystafell fawr, a galwodd "Nain?" yn uchel, ond gwyddai Cledwyn cyn gynted ag y gwelodd y llyfrgell fawr lychlyd nad oedd hi yno. Edrychodd o'i gwmpas wrth i'w lygaid ddod yn gyfarwydd â'r hanner tywyllwch.

Doedd y swyn 'cadw popeth yn lân' ddim yn gweithio yma chwaith. Cawsai'r waliau uchel eu gorchuddio'n gyfan gwbl â llyfrau mawr trymion, a llwch yn drwm arnynt. Roedd tân yn llosgi mewn grât ym mhen pella'r ystafell, a soffa goch lychlyd yn ei ymyl. Yng nghanol yr ystafell roedd bwrdd anferthol, yn drwm dan bwysau llyfrau a phapurau wedi'u gwasgaru'n flêr dros y pren tywyll. Cawsai'r llenni eu cau, ond disgynnai ychydig o olau dros y bwrdd, a chamodd Cledwyn yn araf tuag ato er mwyn cael cip ar yr hyn y bu Eiry'n ei ddarllen. Sylwodd ar ambell deitl ar feingefn y llyfrau: 'Aberdyfi Ddoe a Heddiw', 'Hanes Bro Ddyfi', a 'Dilyn Dysynni'. Llyfrau am ei hen gartref, sylweddolodd Cledwyn. Pam yn y byd bod gan Eiry ddiddordeb yn y lle y bu hi mor anhapus yno?

Sylwodd Cledwyn ar hen lun yn melynu yng nghanol y llyfrau, ac estynnodd amdano – ei gorneli wedi'u plygu ac olion bysedd drosto. Craffodd Cledwyn ar y llun. Tri o bobol yn sefyll o flaen coeden dal yng ngerddi'r plasty. Roedd dau ohonynt, y gŵr a'r wraig, oddeutu deugain mlwydd oed ac yn gwenu'n gynnil, tra bod geneth fach hardd yn sefyll o'u blaen yn chwerthin am rywbeth. Gwisgai ffrog fach wen, a ruban gwyrdd yn ei gwallt. Wrth graffu'n fanylach ar ei hwyneb, credai Cledwyn am funud mai Siân oedd yr eneth fach yn y llun gan ei bod hi 'run ffunud â'i chwaer ychydig flynyddoedd yn ôl. Ond na, nid Siân oedd hi chwaith. Eiry oedd hi. Ac mae'n rhaid mai ei rhieni oedd yn y llun gyda hi.

Gwisgai ei thad siwt dywyll daclus, un o'r rhai yn y wardrob a welsai gynnau, meddyliodd Cledwyn. Roedd ganddo lygaid direidus a barf dywyll, a'i fraich wedi'i gosod o amgylch ysgwyddau ei wraig. Roedd hithau'n ddynes luniaidd, yn debyg iawn i Eiry a Siân heblaw bod ganddi wallt golau a ddisgynnai mewn cyrls twt o amgylch ei hwyneb. Syllodd Cledwyn ar y llun am ychydig, ar yr wynebau hapus a fu'n byw yn y plasty yma gynt. Druan o Eiry, meddyliodd. Mae'n rhaid ei bod yn hiraethu am ei rhieni a hwythau'n ymddangos yn y llun fel pobol mor garedig.

Wrth roi'r llun yn ôl ar y bwrdd, cododd Cledwyn dudalen rydd oddi arno. Roedd yr ysgrifen yn daclus ac yn henffasiwn, y papur yn glaerwyn a'r inc yn dywyll fel pe bai newydd gael ei ysgrifennu. Wrth ddarllen, sylweddolodd Cledwyn mai tudalen allan o ddyddiadur Eiry ydoedd. Er iddo deimlo braidd yn euog yn busnesu mewn rhywbeth mor breifat, daliodd Cledwyn ati i ddarllen:

. . . ond tydw i ddim yn credu bod Cled mor anhapus â Siân. Mae hi'n treulio'i dyddiau yn ei llofft, ac er bod Cled a Gili Dŵ'n edrych wedi diflasu braidd, maen nhw'n dal i grwydro'r plasty. Tydw i ddim yn siŵr beth i'w wneud. Mae Cledwyn yn mynnu cadw'r cyfeillgarwch rhyngddo fo a Gili Dŵ, er ei bod hi'n hen bryd i hwnnw fynd adref. Rydw i'n siŵr mai dim ond mater o amser fydd hi tan i Siân ofyn am gael mynd adref, a does gen i ddim syniad beth wna i pan fydd hynny'n digwydd.

Ynglŷn â beth i'w ddweud am Gwyddfid, rydw i'n teimlo'n eithaf euog am y celwydd a ddywedais i ond rydw i'n methu'n deg â gweld sut arall y byddai'r cynllun wedi gweithio. Rydw i'n sylweddoli bod Cledwyn a Siân yn torri'u boliau eisiau ei gweld ond . . .

Chwiliodd Cledwyn ymhlith y papurau ar y bwrdd am dudalen nesa'r dyddiadur, ond methai'n lân â dod o hyd iddi. Nodiadau ar Aberdyfi a'r ardal oedd y rhan fwyaf o'r papurau, ac ambell un wedi'i rwygo allan o lyfr, ond doedd dim golwg o weddill dyddiadur Eiry.

Celwydd? Beth yn union oedd y celwydd a ddywedodd Eiry wrtho ef a Siân ynglŷn â Nain? Roedd un peth yn sicr – doedd dim arwydd o Nain yn unman fan hyn. Mae'n rhaid ei bod hi mewn rhan arall o'r plasty. Ond pam y byddai Eiry'n dweud celwydd am hynny?

Doedd dim ond un peth amdani, meddyliodd Cledwyn, gyda chryndod nerfusrwydd yn ymgasglu yn ei fol wrth feddwl am y peth. Byddai'n rhaid iddo siarad ag Eiry. Rŵan.

Gadawodd y llyfrgell a cherdded ar hyd y coridor yn benderfynol, gan gymryd un cipolwg olaf ar ystafell ei nain a'i daid. Gwthiodd ddrws y neuadd a cherdded heibio'r llun anferth ohono ef a Siân yn blant bach, cyn cyrraedd drws yr ystafell fwyta. Cymerodd anadl ddofn cyn gwthio'r drws ar agor.

Edrychodd Eiry, Siân a Gili Dŵ arno mewn syndod. Gwenodd Eiry arno.

"Cled! Rwyt ti'n teimlo'n well!"

"Yndw. Wel, ydw a nac ydw. Doeddwn i ddim yn sâl," atebodd Cledwyn, gan sylwi ar Siân yn edrych yn ddig arno.

"Ond... mi ddywedodd Siân a Gili Dŵ..." ebe Eiry mewn penbleth.

"Dwi'n gwybod. Fi ofynnodd iddyn nhw ddweud celwydd."

"Ond... pam?" gofynnodd Eiry'n syn.

"Rydw i wedi bod yn chwilio am Nain."

Bu tawelwch am amser hir wrth i Eiry sylweddoli beth oedd arwyddocâd hynny. Edrychodd ar Cledwyn a'i llygaid fel soseri.

"Rwyt ti wedi bod yn..."

"Do. A tydi Nain ddim yno."

"Be?" gofynnodd Siân yn gegrwth.

"Mi edrychais i ym mhobman, a tydi hi ddim yno. Mae'n rhaid ei bod hi yn rhywle arall yn y plasty, ond ble, Eiry?"

"Rwyt ti wedi bod yn yr unig le yn y plasty y gwnes i ofyn i chi beidio â mynd yno... a finnau wedi ymddiried ynddoch chi..." Roedd Eiry'n edrych fel pe bai bron â thorri ei chalon.

"Eiry!" meddai Siân yn flin. "Lle mae Nain? Ewch i'w nôl hi, rŵan!"

Bu tawelwch am rai eiliadau wrth i Siân, Cledwyn a Gili Dŵ syllu ar Eiry. Edrychodd hithau o'r naill wyneb i'r llall a'i llygaid mawr yn pefrio. Ni allai Cledwyn lai na theimlo trueni drosti, er iddo gael ei siomi ganddi.

"Mi fydd hi'n dal i gysgu," meddai Eiry'n nerfus.

"Deffrwch hi 'ta. Fydd dim ots ganddi hi," meddai Siân.

Edrychai Eiry fel anifail gwyllt wedi'i gornelu. Dechreuodd teimladau anghyfforddus iawn gronni ym mherfedd Cledwyn.

"Wna i ddim cymryd gorchmynion ganddoch chi!" gwaeddodd Eiry'n wyllt. "Rydw i'n fam i chi! Mi ddyliech chi ddangos parch..."

"O diaf," meddai Gili Dŵ gan ysgwyd i ben. "O, na..."

"Be sy'?" gofynnodd Cledwyn.

"Mae'n amlwg, tydi," meddai Siân, gan syllu ar Eiry fel petai hi wedi gweld ysbryd. "Tydi Nain ddim yma."

Bu bron i Cledwyn chwydu yn y fan a'r lle. Cofiai'r holl droeon yr holodd am ei nain, ac am yr esgusodion pitw a gawsai. Edrychodd ar Eiry, a hithai bellach yn snwffian crio.

"Mi es i ar fy ngliniau o flaen eich nain, ac erfyn arni i aros. Er eich lles chi. Ond roedd hi'n mynnu gadael," snwffiodd Eiry'n uchel.

"Be?" gofynnodd Siân mewn penbleth.

"Mi wnes i anfon Blodug i'w nôl hi, fel rydach chi'n gwybod," meddai Eiry'n dawel. "Ac mi ddaeth Gwyddfid yma i'r plasty. Mi roedd hi'n ymddangos fel petai hi'n mwynhau, er mor flinedig oedd hi. Roedd hi'n sôn amdanoch chi o hyd, ac yn edrych ymlaen at eich gweld. Ar ôl i chi a Gili Dŵ gyrraedd, penderfynodd y ddwy ohonon ni y byddai'n gall rhoi ychydig o amser iddi ddod ati'i hun, a dadflino'n iawn cyn i chi ei gweld."

"A?" gofynnodd Siân.

"Wel, 'mhen rhai dyddie wedi i chi gyrraedd, mi ddywedais i wrthi y byddai'n amser da iddi ddod i'ch gweld. Ond roedd hi wedi newid ei meddwl. Doedd hi ddim am eich gweld chi. Gofynnodd a fyddwn i'n fodlon benthyca Blodug iddi fel y gallai hi fynd adref. Roedd arni hiraeth am Aberdyfi."

"Ydach chi wir yn disgwyl i ni goelio'r ffasiwn stori?" poerodd Siân y geiriau. "Fysa Nain byth yn ein gadael ni…"

"Ond Siân," sibrydodd Eiry, "eich lles chi oedd ganddi mewn golwg."

"Sut byddai…" dechreuodd Gili Dŵ, ond torrodd Eiry ar ei draws.

"Mi ddywedodd Gwyddfid iddi feddwl am hyn am rai dyddiau, ac y byddai'n fwy caredig i chi pe na baech chi'n ei gweld hi. Byddai ei chael hi yn y plasty yn eich atgoffa chi o adref, ac y byddai hynny'n eich rhwystro chi rhag setlo'n iawn yn eich cartref newydd. Roedd hi am i mi ddweud wrthych chi ei bod hi'n eich caru chi'n fawr, ond ei bod hi'n amser i chi fod yma gyda mi rŵan."

Bu tawelwch am ychydig wrth i bawb feddwl am yr hyn ddywedodd Eiry. Roedd Cledwyn eisiau credu bod Eiry'n dweud celwydd, ond eto gwnâi'r hyn a ddywedodd synnwyr. Byddai gweld Nain wedi gwneud iddo hiraethu am adref.

"Ond… na!" meddai Siân. Roedd hi'n edrych yn flinedig, meddyliodd Cledwyn, fel pe na bai ganddi egni i ddadlau mwyach.

"Roedd hi'n torri ei chalon wrth adael," meddai Eiry yn dawel. "Mae ganddi cymaint o feddwl o'r ddau ohonach chi."

"Mi gawn ni ei gweld hi eto, 'yn cawn?" gofynnodd Cledwyn yn dawel. Methai'n lân â chael darlun o'i nain yn gwenu allan o'i feddwl.

"Wrth gwrs," meddai Eiry. "Ond roedd eich nain a minnau'n gytûn bod rhaid rhoi amser i chi ddod yn gyfarwydd â'ch cartref newydd yma'n gyntaf."

"Pryd?" gofynnodd Siân. "Pryd gawn ni weld Nain?"

"Pan fyddwch chi'n barod," meddai Eiry'n gadarn, cyn ochneidio. "Siân. Cled. Rydw i'n sylweddoli pa mor anodd ydi hyn i chi. Ac mae'n ddrwg gen i na ddywedais i'r gwir wrthych chi'n syth. Ond mae'n bryd i chi rŵan ddechrau bywyd newydd gyda'ch mam."

Bu tawelwch wrth i Cledwyn ddychmygu wythnosau, misoedd efallai, heb weld Nain. Teimlai ei galon yn suddo a'i egni'n pylu.

"Mae'n ddrwg gen i, Eiry," meddai'n dawel, "am fynd i'ch ystafelloedd chi. Roedd gen i gymaint o hiraeth..."

Nodiodd Eiry ei phen. "Gan dy fod ti wedi gweld y cyfan, mae'n siŵr y dyliwn i esbonio. Pam na ddywedi di wrth Siân a Gili Dŵ be welaist ti?"

Nodiodd Cledwyn yn araf. "Yr ystafell gyntaf oedd ystafell wely rhieni Eiry, dwi'n meddwl." Nodiodd Eiry. "Ond doedd hi ddim yn lân na thwt fel gweddill y plasty. Roedd y dillad yn dal yn y wardrob a'r tlysau'n dal ar y bwrdd ymbincio..."

Ochneidiodd Eiry ac edrych i lawr ar ei dwylo. "Rydw i wedi tynnu'r swyn oddi ar yr ystafell honno, a'r llyfrgell. Roeddwn i am i bopeth aros fel yr oedden nhw pan fu farw fy rhieni. Mi wn i fod hynny'n edrych yn od i chi, ond roedd o'n gysur i mi ar y pryd."

"Ac wedyn," meddai Cledwyn yn dawel, "roedd 'na stafell molchi, ac yna lofft Eiry. Ond roedd hi fel llofft geneth fach, yn binc ac yn biws a phili palas dros y waliau."

"Mi dreuliodd fy nhad ddyddiau'n addurno'r lle pan oeddwn i'n eneth fach. Allwn i ddim ei newid hi ar ôl iddo fo weithio mor galed ar y lle."

"Ac wedyn, roedd llyfrgell fawr dywyll lychlyd, yn llawn llyfrau am Aberdyfi..."

"Yn y llyfrgell y bydda i'n treulio'r rhan fwyaf o fy amser. Ar ôl i mi ddychwelyd o Aberdyfi, cawn flas ar ddod i nabod y lle trwy lyfrau. Gwnâi i mi deimlo'n nes atoch chi, ac yn nes at eich tad."

Siaradai Eiry'n dawel, fel petai ganddi gywilydd mawr o'r hyn a ddywedai. "Rydw i wedi darllen pob llyfr am y lle ganwaith, ac mi rydw i'n dal i'w darllen. Rydw i'n gwybod pob manylyn erbyn hyn, ac maen nhw'n dal i ddod â chysur i mi."

"Mi welais i lun," meddai Cledwyn wrth ei fam. "Ohonoch chi'n fach, efo'ch mam a'ch tad."

Gwenodd Eiry'n wan. "Roedd y ddau mor garedig."

Bu tawelwch am ychydig. Teimlai Cledwyn yn ofnadwy am wneud i Eiry ddatgelu ei chyfrinachau, tan iddo gofio rhywbeth.

"Ac roedd un dudalen allan o ddyddiadur," meddai'n dawel. Edrychodd Eiry i fyny arno mewn syndod. Roedd hi'n amlwg wedi anghofio iddi adael ei dyddiadur ar y bwrdd.

"Wnest ti ddim darllen fy nyddiadur i?" gofynnodd yn sarrug.

"Roedd 'na rywbeth cas ynddo fo," meddai Cledwyn yn araf,

cyn cymryd cip ar Gili Dŵ, a fu'n dawel am amser hir.

"Ddyliet ti ddim fod wedi…"

"Be oedd o'n ddweud?" gofynnodd Siân. Edrychodd Cledwyn ar Gili Dŵ eto.

"Dim byd o bwys," meddai, gan ddifaru iddo gyfeirio at y dyddiadur o gwbl. Byddai clywed yr hyn a ysgrifennodd Eiry amdano'n sicr wedi brifo teimladau Gili Dŵ.

Ond un craff oedd Gili Dŵ, a sylwodd ar Cledwyn yn edrych yn nerfus i'w gyfeiriad o.

"Mae'n iawn, Cled," meddai'n dawel. "Dwi'n gwybod mai amdana i foedd Eify wedi sgwennu. Mi gei di ddweud."

Petrusodd Cledwyn cyn gweld bod Siân yn ddiamynedd. "Roedd Eiry yn dweud bod… ei bod hi'n hen bryd i Gili Dŵ fynd adref."

Bu tawelwch am ychydig, cyn i Eiry ochneidio. "Mae'n ddrwg gen i, i ti ffindio allan fel hyn. Ond mae o'n wir, tydi?"

"Ond…" dechreuodd Cledwyn.

"Mi rydw i'n sylweddoli dy fod ti a Cledwyn yn ffrindiau da, ond tydi hynna ddim yn esgus i ti adael Siân heb gwmni. Mi wna i drefnu trafnidiaeth adref i ti, Gili Dŵ, ac mi gei di ymweld â ni yma unrhyw bryd, dim ond i ti ysgrifennu'n gyntaf."

"Gadael Siân heb gwmni…?" gofynnodd Gili Dŵ mewn syndod. "Mae'n wifioneddol ddfwg gen i os…"

"Wnaeth Gili Dŵ ddim y ffasiwn beth!" ebychodd Siân.

"Mae'n amlwg iawn bod y tri ohonoch chi wedi bod yn anhapus ers tro, ac mi rydw i o'r farn y byddai'r plasty yn gartref hapusach pe bai dim ond y teulu'n byw yma."

"Tydi Gili Dŵ ddim yn mynd i unman," meddai Cledwyn, a synnu ei fod mor gadarn, gan fod ei lais yn swnio mor flin.

Trodd pawb i edrych arno.

"Efallai ei bod hi'n bryd i ti wrando ar dy fam, Cledwyn," meddai Eiry'n dawel.

"Mae Cled yn iawn," meddai Siân, a sylwodd Cledwyn fod ei llais yn swnio fel llais yr hen Siân, yn llawn direidi. "Os ydi Gili Dŵ'n gadael, mi rydan ni'n gadael efo fo."

Ysgydwodd Eiry ei phen yn flin. "Mi rydw i wedi gwneud pob dim i wneud y lle'n groesawgar i chi…"

"Ac mi rydach chi wedi gwneud popeth o fewn eich gallu i'n cau ni i mewn yn y plasty, heb i ni allu mynd ymhellach na'r gerddi. Carchar ydi o, Eiry!" meddai Siân.

"Carchar?" meddai Eiry'n gegagored. "Wel, am anniolchgar!"

"Mae Eify'n iawn," meddai Gili Dŵ'n dawel. Trodd pawb i edrych arno.

"Paid â bod yn wirion, Gili Dŵ!" meddai Cledwyn, heb allu coelio bod Gili Dŵ wedi dweud y ffasiwn beth.

"Na, Cled, fydw i'n dweud y gwif. Doedd hi ddim yn fwfiad gen i i afos yma efo chi am byth. Nid dyma fy nghaftfe i. Ef mof anhygoel yw'f plasty, mae gen i hifaeth am Bendfamwnwgl."

"Ha!" meddai Eiry'n biwis. "Mi ddywedais i, 'yn do?"

"Ond… ond… pam na ddywedaist ti hyn wrthon ni cyn hyn?" meddai Cledwyn, gan deimlo mor drist.

"Foeddwn i'n disgwyl i chi gael gweld eich nain. Mi ddywedais i na fyddwn i'n eich gadael chi tan i ni ddod o hyd iddi, ac mi fydan ni'n gwybod lle mae hi bellach."

"Fedri di ddim mynd!" gwaeddodd Cledwyn. Teimlai'n ddagreuol. Edrychodd Gili Dŵ i fyny arno, a dihangodd ambell ddeigryn o'i lygaid yntau hefyd. Cyn pen dim, roedd Siân yn wylo hefyd.

"Tydw i ddim eisiau'ch gadael chi," meddai Gili Dŵ. "Chi ydi'f cyfeillion gofau ges i efioed. Ond tydw i ddim yn hapus yma. Fydw i eisiau mynd adfe."

Am y tro cyntaf, sylweddolai Cledwyn sefyllfa mor rhyfedd oedd hon i Gili Dŵ, a chofio pa mor ddewr y bu o wrth helpu Cledwyn a Siân drwy beryglon Crug. Mi fyddai wedi bod yn llawer haws iddo'u gadael ar eu pennau eu hunain, ac aros ym Mhendramwnwgl. Cofiodd Cledwyn pa mor glyd a chyfforddus oedd tŷ Gili Dŵ, gyda'i flerwch cartrefol a'i danllwyth croesawgar o dân.

"Rydw i'n deall," meddai Cledwyn yn dawel, gan sychu ei ddagrau gyda chefn ei lawes. "Ond plîs, Gili Dŵ, rhaid i ti addo y byddi di'n dod i ymweld â ni."

"Wfth gwfs," meddai Gili Dŵ gan wenu'n drist. "Fedfa i wneud dim ond diolch i chi am eich cafedigfwydd. A chithau, Eify. Foedd hi'n blesef cael afos mewn lle mof gfand."

"Os wyt ti'n barod i fynd, Gili Dŵ, mi alla i alw Blodug i dy nôl di," gwenodd Eiry, ond gallai Cledwyn weld ei bod hi dan straen.

"Plîs," meddai Cledwyn yn dawel. "Tydan ni ddim ond newydd ddarganfod nad yw Nain yma. Wnei di aros am ychydig ddyddiau, Gili Dŵ? Plîs?"

"Wfth gwfs," atebodd Gili Dŵ. "Fyddwn i ddim yn bfeuddwydio'ch gadael chi fŵan, a chithau wedi cael y ffasiwn sioc."

"Cled, Siân," meddai Eiry. "Rydw i wedi bod yn annheg gyda chi, yn dweud celwydd wrthych chi am eich nain. Ac mi wn i fy mod i'n medru bod yn fyr fy nhymer weithiau. Ond rydach chithau wedi torri i mewn i fy stafelloedd, ac wedi busnesu yn fy atgofion mwyaf personol i. Hoffwn i anghofio am bob anghytundeb yma heddiw, a chael bod yn ffrindiau unwaith eto."

Nodiodd Siân a Cledwyn, ond roedd y ddau yn edrych yn eithaf prudd.

"Mi rydw i'n deall, wyddoch chi. Mae'n ddrwg iawn gen i am eich nain."

Y dyddiau canlynol fu'r dyddiau mwyaf digalon ym mywyd Cledwyn. Doedd o'n gwneud dim byd ond sefyll yng ngerddi'r plasty drwy'r dydd, ei fol a'i wyneb wedi'u gwthio rhwng rheilins y giât, yn gwrando ar y clychau mwyn a ganai ymhell, bell i ffwrdd. Byddai Gili Dŵ'n mynd gydag ef yn gwmni i bobman, ond doedd neb yn dweud fawr ddim. Byddai Cledwyn yn cael breuddwydion yn y nos ei fod o'n rhedeg nerth ei draed, trwy goedwig neu laswellt neu dros fynyddoedd. Doedd o'n gweld fawr ddim ar Siân, heblaw yn ystod amser bwyd, ac er iddo bron â mynd i'w llofft i chwilio amdani, gwyddai y byddai hel atgofion gyda hi yn ei wneud yn fwy digalon byth.

Gallai Cledwyn synhwyro bod yr awyrgylch prudd yn y plasty yn mynd ar nerfau Eiry. Wrth i'r dyddiau basio, diflannodd ei gwên annwyl yn gyfan gwbl ac yn ei le, daeth gwg pwdlyd gan greu crychau mawr ar ei thalcen. Deallai Cledwyn fod y sefyllfa'n anodd iddi. Wedi'r cyfan, dyma hi wedi'u croesawu nhw i mewn i'w chartref moethus, a hwythau'n gwneud dim byd heblaw crwydro o gwmpas y lle'n edrych mor drist.

Ond diflannai unrhyw gydymdeimlad a oedd gan Cledwyn tuag at ei fam cyn gynted ag y byddai'n sefyll wrth y giatiau mawr, yn syllu allan ar y tir. Pam na fyddai'n agor y giatiau am awr, er mwyn iddo gael mynd am dro? Iddo gael gweld rhywbeth gwahanol i'r holl goridorau diddiwedd a'r gerddi taclus? Teimlai fel carcharor, ac roedd hynny, yn ogystal â'r hiraeth ofnadwy am ei nain, yn ei wneud o'n isel iawn ei ysbryd.

Byddai'n meddwl am ei nain drwy'r amser, er nad oedd o wedi crio am nad oedd hi yng Nghrug ers i Eiry ddweud wrthynt. Teimlai fel petai ei ddagrau wedi rhewi gyda'r sioc o gael ei adael hebddi. Bodolai'r tristwch ynddo, fel pêl drom yng nghrombil ei fol, ond ni allai Cledwyn wneud dim i gael gwared arno. Y peth gwaethaf fyddai deffro yn y bore ac yntau wedi anghofio, yn ystod ei eiliadau effro cyntaf, ei bod hi wedi gadael. Yna, wedi iddo gofio, byddai'r tristwch yn golchi drosto fel dŵr.

Dyna'n union ddigwyddodd heddiw, ac wrth iddo gerdded i lawr y grisiau mawr crand, meddyliai Cledwyn am ei nain. Tybed ble roedd hi rŵan? Dychmygai y byddai wedi mynd am dro o gwmpas yr harbwr yn Aberdyfi ar fore braf fel heddiw...

Chododd neb ei olygon i'w gyfarch pan gerddodd i mewn i'r ysafell fwyta, er bod Eiry, Siân a Gili Dŵ eisoes wedi dechrau ar eu brecwast. Doedd neb yn gwenu, nac yn sgwrsio â'i gilydd. Eisteddodd Cledwyn yn ei gadair, yn mwmial "tost a menyn" wrth gaead arian y plât, a dechreuodd gnoi ei frecwast yn araf.

Roedd tyndra yn yr awyrgylch yn yr ystafell fwyta, gan fod Eiry'n dal mewn tymer ofnadwy gan wneud sŵn mawr gyda'i chyllell a'i fforc wrth fwyta. Wrth i'w sŵn aflafar ddiasbedain drwy'r ystafell, teimlai pawb yn hollol anghyfforddus.

Ceisiodd Gili Dŵ dorri ar y tawelwch. "Mae'n bfaf. Fo'n i'n siŵf ei bod hi am fwfw heddiw. Diwfnod bfaf yn yf afdd amdani, dwi'n meddwl."

"Mae'n bfaf," ailadroddodd Eiry mewn llais uchel, coeglyd. "Diwfnod bfaf afall yn yf afdd amdani." Chwarddodd Eiry ar ei jôc greulon ei hun. Cochodd Gili Dŵ, gan deimlo'n anghyfforddus.

Teimlai Cledwyn ei dymer yn codi o grombil ei fol, ond cyn iddo gael cyfle i ddweud dim, taflodd Siân ei llwy i'r naill ochr a chodi ar ei thraed.

"Peidiwch chi â meiddio gwawdio Gili Dŵ fel'na eto," meddai'n gandryll.

"Eistedda i lawr, Siân," gorchmynnodd Eiry'n ddiamynedd. "Dwi'n siŵr bod Gili Dŵ'n gallu cymryd jôc."

"Wfth gwfs," meddai Gili Dŵ heb edrych ar neb.

"Jôc?" gofynnodd Cledwyn, gan godi ar ei draed. "Dim jôc oedd be naethoch chi, Eiry!"

"O, peidiwch â gorymateb, wir!" Roedd hi'n amlwg bod Eiry'n dechrau colli ei limpin, braidd.

Rhuodd Siân mewn rhwystredigaeth, a sylweddolodd Cledwyn ei bod hi'n andros o flin. "'Dach... Chi... Ddim... Yn... Dallt!" gwaeddodd drwy ei dannedd.

"Plîs, Siân..." dechreuodd Gili Dŵ.

"'Dach chi'n bwlio Gili Dŵ! Ac yn llwyr anwybyddu'r ffaith fod Cled a minnau mor anhapus mewn plasty sy fel carchar i ni..."

"Carchar?" gwichiodd Eiry mewn tymer. "Feddyliais i 'rioed y byddai fy mhlant fy hun mor anniolchgar!"

"Feddyliais innau 'rioed chwaith y byddai fy mam mor ddifeddwl!"

Erbyn hyn safai'r ddwy ar eu traed, yn sgrechian dros y bwrdd bwyd, a Gili Dŵ'n eistedd rhwng y ddwy'n edrych fel petai'n torri ei galon. Ceisiodd Cledwyn ganolbwyntio ar y geiriau atgas a gâi eu sgrechian o'r naill i'r llall, ond roedd rhywbeth arall yn mynnu ei sylw.

Sŵn clychau.

Yn dawel i ddechrau, mor dawel fel nad oedd Cledwyn yn siŵr ai dychmygu roedd o. Yn raddol, cododd eu sŵn yn uwch ac yn uwch, nes eu bod yn annioddefol o uchel, fel petasai'r sŵn yn dod o'r union ystafell ble roedden nhw'n sefyll. Roedd Siân ac Eiry'n dal i sgrechian ar ei gilydd, a Gili Dŵ'n dal i syllu'n drist o'r naill i'r llall. Doedden nhw'n amlwg ddim yn clywed, nac yn gwrando ar ei gilydd, dim ond yn ffraeo. Ond, i Cledwyn, roedd y sŵn yn fyddarol... ac roedd yna rywbeth arall hefyd – darlun yn ei ben, fel breuddwyd, ond eto roedd o'n hollol effro...

Caeodd Cledwyn ei lygaid a gweld Nain yn gwthio'n benderfynol drwy ddrws y plasty, ac yn troi ei golygon tuag at yr ystafell fwyta.

"Nain," meddai Cledwyn yn uchel, ac fe stopiodd y clychau'n syth. Rhoddodd Siân ac Eiry'r gorau i'w gweiddi, a syllodd pawb ar Cledwyn.

"Be?" gofynnodd Eiry'n biwis.

"Nain," dywedodd Cledwyn yn gadarn. "Mae Nain yma."

"Paid â bod mor wirion!" poerodd Eiry'r geiriau. "Mi rydw i wedi dweud o'r blaen! Mae'ch nain chi wedi..."

"Mae hi yma. Mae hi'n sefyll yr ochr arall i'r drws 'na." Doedd gan Cledwyn ddim syniad sut y gwyddai o, ond roedd o'n hollol sicr ei fod o'n iawn.

"Paid â bod mor..." dechreuodd Eiry.

Ond chafodd hi ddim gorffen ei brawddeg, gan i'r drws agor yn sydyn, ac yno'n flinedig, ond yn benderfynol, y safai Nain.

Pennod 11

Bu bron i Nain gael ei tharo oddi ar ei thraed gan Cledwyn a Siân, wrth iddyn nhw ruthro ati a'i chofleidio'n dynn, dynn. Llanwai Cledwyn gan lawenydd pur, fel petai'n gwybod y byddai popeth yn iawn o hyn ymlaen. Cusanodd Nain bennau ei hŵyr a'i hwyres, cyn troi i edrych ar Eiry, a syllai'n gegagored arni.

"Eiry," meddai Nain, a'i llais yn galetach nag y clywsai Cledwyn o cyn hynny. "Ro'n i'n amau y byddai'r ddwy ohonon ni'n cyfarfod eto."

"Gwyddfid," meddai Eiry'n nerfus. "Sut ydych chi...?"

"Twt twt, Eiry," atebodd Nain gyda gwên. "Oeddat ti ddim yn dychmygu y byddwn i'n gadael i Siân a Cled 'y ngadael i, oeddat ti?"

"Ond, Nain," dechreuodd Cledwyn. "Dod yma i'ch nôl chi wnaethon ni. Ac mi ddywedodd Eiry eich bod chi'n hiraethu am Aberdyfi ac wedi mynd adref heb ffarwelio..."

"Lol botes maip!" meddai Nain yn flin, gan syllu ar Eiry. "Mi wnest ti adael i'r plant feddwl 'mod i wedi'u gadael nhw? Fel petaswn i'n medru gwneud y ffasiwn beth!"

"Ro'n i'n ceisio gwarchod eu teimladau nhw!" meddai Eiry, ond gwelodd Cledwyn bod dagrau'n cronni yn ei llygaid.

"Pan ddois i adre'r noson honno, a gweld y llwybr o laswellt'n diflannu i mewn i ffrâm y llun, mi roeddwn i'n gwybod mai ti oedd yn gyfrifol!" meddai Nain wrth Eiry.

"Be?" gofynnodd Siân mewn penbleth. "Tydw i ddim yn deall..."

"Mi ddeffrais i'r noson honno a minnau yn yr harbwr. Erbyn

i mi gyrraedd adref roedd y ddau ohonoch chi wedi diflannu," meddai Nain. "Roeddwn i'n meddwl i ddechrau 'mod i wedi cerdded yn fy nghwsg, ond rydw i'n amau erbyn hyn bod rhywun wedi rhoi rhyw fath o swyn arna i."

"Roeddwn i'n meddwl y byddai hi'n haws y ffordd honno," meddai Eiry'n ddagreuol. "Mae'n ddrwg gen i, Gwyddfid, ond mae'n rhaid i chi goelio 'mod i wedi hiraethu am y ddau yma'n ofnadwy..."

Ochneidiodd Gwyddfid, a bu tawelwch am ychydig wrth i bawb gael eu gwynt atynt, gydag Eiry'n snwffian crio, a Gili Dŵ'n syllu'n gegagored ar bawb.

"Efallai y byddai'n syniad go lew i bawb eistedd am 'chydig," meddai Gili Dŵ'n dawel. "A chael paned. Wneith dadlau gwyllt ddim ateb unffyw broblem."

Craffodd Gwyddfid ar Gili Dŵ cyn ymestyn ei llaw dros y bwrdd i'w gyfarch. "Gwyddfid ydw i. Nain Siân a Cled. Mae paned yn syniad campus."

Llusgodd Nain gadair ato ac eistedd wrth ymyl Gili Dŵ.

"Gili Dŵ, at eich gwasanaeth," meddai hwnnw'n nerfus. "Fydw i wedi clywed cymaint amdanoch chi gan Cled a Siân, mae'n blesef cael cwfdd â chi o'f diwedd. Ac, os ca' i ddweud, welais i 'fioed wallt mof sgleiniog af neb. Sut af wyneb y ddaeaf ydach chi'n cadw fo mof iach yf olwg?"

"Gili Dŵ wnaeth ein helpu ni ddod o hyd i'r plasty, Nain," chwarddodd Siân, gan eistedd wrth ymyl y ddau. Cyn pen dim, parablai Nain, Gili Dŵ a Siân yn hapus am eu hanturiaethau yng Nghrug. Roedd Nain wrth ei bodd yn gwrando arnynt, a chwarddai a rhyfeddu'n aml. Teimlai Cledwyn yr hen hapusrwydd yn dychwelyd yn ei chwmni, a châi ei atgoffa o'r nosweithiau braf hynny o gwmpas y bwrdd bwyd yn Aberdyfi.

"Felly, rydych chi am ddychwelyd?" meddai llais bach gwan o'r gornel, a throdd pawb i edrych ar Eiry.

Eisteddai ar ei chadair, a golwg lwydaidd iawn arni. Ymddangosai ei chroen gwyn, a fu mor ddeniadol, yn hagr bellach, a doedd ei chefn ddim mor syth ag arfer. Edrychai'n wraig flinedig, yn hytrach nag yn fam gas.

"Wrth gwrs ein bod ni am fynd yn ôl!" meddai Siân yn biwis. Ochneidiodd Eiry a syrthiodd ei threm.

"Eiry fach, tydi byw fan hyn yn ddim math o fywyd i'r plant yma," meddai Gwyddfid, yn rhyfeddol o fwyn o dan yr amgylchiadau. "Maen nhw angen rhyddid i chwarae, ac i wneud ffrindiau o'r un oed â nhw eu hunan. Maen nhw angen mynd i'r ysgol hefyd!"

Ni allai Cledwyn lai na phitïo wrth ei fam.

"Mae'n ddrwg gen i, Eiry," meddai Cledwyn yn dawel. "Ond byddai Siân a minnau'n gwallgofi yma. Does 'na ddim byd i'w wneud. Wn i ddim sut y gallwch chi ddiodde bod yma ar eich pen eich hun drwy'r dydd, bob dydd."

"Esgusodwch fi," meddai Siân yn gegagored. "Ond pam rydan ni mor garedig wrth Eiry? Mi wnaeth hi ein dwyn ni o'n gwlâu yng nghanol nos, wedyn ein cau ni yn y plasty 'ma am wythnosau a'n twyllo ni bod Nain wedi troi ei chefn arnon ni. Tydi hi ddim yn hanner call, os ydach chi'n gofyn i mi!"

"Rŵan, Siân," meddai Nain. "Mae angen i ti fod yn fwy goddefgar! Y rheswm ein bod ni'n garedig wrth Eiry'n awr ydi bod pob dim a wnaeth hi wedi'i wneud achos ei bod hi wedi cael ei dallu gan ei chariad tuag atoch chi. Fyddai hi byth wedi'ch brifo chi. Wedi'r cyfan, mae hi'n fam i chi, ac mae hi'n eich caru chi!"

"Ydw!" meddai Eiry drwy ei dagrau. "Mi rydw i!"

"Efallai y dyliwn i esbonio'r stori i chi," meddai Nain. "Mi ddaeth Eiry o Grug i Aberdyfi er mwyn cael priodi fy mab, Meilyr – eich tad chi. Ymddangosai hi'n hogan annwyl iawn, er i mi sylwi o'r cychwyn na fedrai hi wneud ffrindiau. Treuliai'r rhan fwyaf o'i hamser ar ei phen ei hun pan fyddai eich tad yn gweithio."

Eiry a wnaeth barhau â'r hanes.

"Cyn hynny, bues i'n byw yn y plasty yma ar hyd fy oes gyda fy rhieni tan oeddwn i'n bymtheg oed, pan ddiflannodd y ddau. Doedd gen i ddim brodyr na chwiorydd, dim ffrindiau, ac roedd arna i ofn y byd mawr y tu allan ar ôl clywed hanesion fy mam am yr holl fwystfilod. Cefais i sioc anferth wrth weld eich tad – mi ymddangosodd wrth y giât un diwrnod, ar ôl bod yn anymwybodol wedi iddo fynd i drafferthion wrth nofio yn y môr yn Aberdyfi. Mi ddeffrodd yma y tu allan i giât y plasty.

Gwnaeth ei ddisgrifiadau o o Aberdyfi cymaint o argraff arna i nes fy nenu i i adael fan hyn a symud i'ch byd chi. Felly, i ffwrdd â ni ar gefn Blodug un bore. Ond, a minnau heb weld neb yma ers pum mlynedd cyfan, roedd mynd i Aberdyfi yn sioc aruthrol i mi, ac roeddwn i'n ei chael hi'n haws aros yn y tŷ ar fy mhen fy hun yn hytrach nag wynebu cannoedd o ddieithriaid bob dydd."

"Pan gyrhaeddodd Siân yn gyntaf, ac yna Cledwyn, fe anghofiais i am Grug am gyfnod. Ond, ar ôl ychydig fisoedd, ro'n i'n dristach nag erioed, ac yn erfyn ar Meilyr i adael i'r pedwar ohonon ni fynd yn ôl i Grug. Ond na. Roedd o'n benderfynol fod y plant yn cael cyfle i wneud ffrindiau yn Aberdyfi, ac yn cael mwynhau'r rhyddid sydd yno. Felly, daethom i gytundeb.

Byddwn i'n dychwelyd yn ôl yma ar fy mhen fy hun tra byddai Meilyr yn aros yn Aberdyfi er mwyn eich magu chi'ch dau."

"Ond... Mi ddywedoch chi fod Dad wedi dod yma atoch chi!" meddai Siân, ond ddywedodd Eiry ddim gair heblaw ysgwyd ei phen yn drist.

"Roedd hi'n amlwg bod Eiry mor drist wrth eich gadael chi," meddai Nain. "Addawodd hi y byddai'n dod yn ôl i Aberdyfi am wyliau 'mhen ychydig wythnosau. Ond na. Arhosodd Meilyr amdani am fisoedd a chlywodd neb na bw na be ganddi. Bu bron iddo â thorri ei galon, gan fod ganddo'r ffasiwn feddwl o Eiry, hyd yn oed ar ôl iddi ei adael a dychwelyd i Grug."

"Felly, be ddigwyddodd i Dad?" gofynnodd Cledwyn.

"Mae hynny'n un cwestiwn na alla i mo'i ateb. Aeth o a'r ddau ohonoch chi i wersylla ar fferm yn Abergynolwyn un penwythnos yng nghanol yr haf. Ond daeth ffermwr o hyd i'r ddau ohonoch chi ar eich pennau eich hunain mewn pabell un bore. Roedd Meilyr wedi diflannu," meddai Nain yn drist.

"Meilyr? Wedi diflannu?" gofynnodd Eiry'n syn.

"Doeddech chi ddim yn gwybod?" gofynnodd Siân.

"Nac oeddwn siŵr! Roeddwn i'n cymryd ei fod o'n dal i fyw gyda chi tan i mi sgwrsio gyda chi yn yr ogof, a daeth hi'n amlwg nad oedd ganddoch chi unrhyw syniad am yr hanes. Wedi diflannu! Alla i ddim credu'r peth! Meilyr bach..." Dechreuodd Eiry snwffian crio unwaith eto.

"Ond mi wnaethoch chi ei adael o," meddai Siân. "Fedrwch chi ddim fod wedi'i garu o gymaint â hynny!"

"Na, Siân," meddai Gwyddfid, gan syllu dros y bwrdd ar Eiry. "Er mor afresymol ydi Eiry weithiau, rydw i'n gwybod, heb amheuaeth, ei bod hi'n caru Meilyr yn fawr iawn. Ac yntau'n ei charu hi. Mae'n rhaid i chi ddeall bod hiraeth yn bŵer cryf iawn, a hiraeth Eiry am ei chartref a wnaeth iddi ddychwelyd i Grug."

"Ond pam na ddaethoch chi i'n gweld ni, fel y gwnaethoch chi addo?" gofynnodd Cledwyn i'w fam.

"O, Cled. Does gen i ddim esgus," sychodd Eiry ei dagrau gyda hances fach wen. "Roedd gen i gymaint o ofn gadael y plasty, roeddwn i methu'n lân â mentro, er i mi drio lawer gwaith. Pan ddes i i'r ogof i'ch nôl chi, dyna oedd y tro cynta i mi adael y plasty yma mewn deng mlynedd."

"Sut roeddech chi'n gwybod y bysan ni yn yr ogof?" gofynnodd Siân.

"Mi greais i swyn cymhleth er mwyn sicrhau y byddech chi yno."

Bu tawelwch am ychydig, wrth i Cledwyn, Siân a Gili Dŵ ystyried yr hyn a gafodd ei ddweud.

"Mi wn i nad ydi hyn yn ddim o 'musnes i," meddai Gili Dŵ'n dawel. "Ond tydw i'n dal ddim yn deall pam bod Eify wedi afwain Siân a Cled i Gfug, os oedd hi'n meddwl eu bod nhw'n dal i fyw efo'u tad."

"Mae gen i gywilydd dweud, Gili Dŵ," meddai Eiry'n dawel. "Ro'n i wedi meddwl am y ddau cyhyd, nes i mi golli i fy synnwyr cyffredin. Yr unig beth y gallwn i feddwl amdano oedd cael y ddau yma ataf fi. Roeddwn i mor hapus pan gyrhaeddodd y ddau, yn enwedig wrth i mi weld eu bod nhw'n blant mor annwyl a hyfryd. Ond mi ddaeth hi'n amlwg yn ystod yr wythnosau diwethaf bod y ddau'n anhapus iawn. Ac mae arna i ofn, Gili Dŵ, fy mod i wedi bod yn genfigennus iawn ohonat ti."

"Iesgob annwyl!" meddai Gili Dŵ'n syn. "Cenfigennus?

Ohona i? Pam yn y byd...?"

"Mi rwyt ti mor agos at y ddau, yn enwedig at Cled. Mae'r ddau yn meddwl y byd ohonat ti. Mi wnes i dy drin di'n ofnadwy, Gili Dŵ, ac mi rydw i'n ymddiheuro o waelod fy nghalon am hynny."

"Wel... diaf annwyl..." meddai Gili Dŵ, wedi'i gynhyrfu'n lân. "Mae hi'n iawn, siŵf."

"A dyna ni!" meddai Nain dan wenu. "Dyna'r stori gyfan. Mi ddylswn i fod wedi dweud y gwir wrthoch chi ers blynyddoedd, ond doeddwn i ddim am eich brifo chi."

"Peidwich â phoeni, Nain," meddai Siân, gan chwerthin yn chwareus. "Dwi ddim yn siŵr y byddan ni wedi'ch credu chi pe byddech chi wedi dweud hyn oll wrthon ni!"

"Mae 'na un peth arall yr hoffwn i ei ofyn," meddai Cledwyn yn dawel, gan deimlo braidd yn wirion. "Ers i mi gyrraedd Crug, mi rydw i wedi bod yn clywed clychau bob nawr ac yn y man. Y peth ydi, tydi Siân a Gili Dŵ'n amlwg ddim yn eu clywed nhw."

Gwenodd Nain. "Mi ddwedais i y byddet ti'n clywed y clychau, Cled bach! Does 'na ddim llawer o bobl yn eu clywed nhw... Mae'n rhaid i dy feddwl fod yn agored iawn. Sylwaist ti ar batrwm yng nghanu'r clychau, Cled?"

"Naddo, ddim o gwbl," meddai Cledwyn, yn falch nad oedd pawb yn chwerthin am ei ben.

"Maen nhw'n canu bob tro y byddi di'n mynd i'r cyfeiriad iawn, neu'n gwneud y peth iawn. Does gen i ddim syniad o ble maen nhw'n dod, na pham, ond mi alla i ddweud cymaint â hyn – tydw i ond yn eu clywed nhw ers i Meilyr fynd ar goll. Rydw i'n hoffi meddwl eu bod nhw'n rhyw fath o arwydd ganddo fo."

"Ddwedaist ti ddim dy fod ti'n clywed clychau!" meddai Siân

gan syllu ar ei brawd.

"R'on i'n amau 'mod i'n mynd yn wallgo," meddai Cledwyn gan gochi.

Eisteddodd y criw bach o gwmpas y bwrdd am ychydig, gan yfed te a sgwrsio am Meilyr. Cytunai Eiry a Nain fod Cledwyn yn union yr un fath â'i dad o ran pryd a gwedd ac o ran ei bersonoliaeth, a rhoddai hynny deimlad cynnes iawn ym mol Cledwyn. Roedd hi'n anodd dychmygu bellach i Eiry a Gwyddfid anghytuno erioed, cymaint oedd y ddwy'n mwynhau sgwrsio gyda'i gilydd yn awr. Ac roedd hi'n anodd iawn i Cledwyn ddychmygu hefyd fod ei fam wedi gwneud rhywbeth mor ofnadwy, a hithau'n ymddangos mor garedig. Mae'n rhaid bod Nain yn iawn, bod hiraeth mor bwerus.

Sgwrsiodd pawb am yn hir, a bu llawer o chwerthin o amgylch y bwrdd mawr. Ymhen hir a hwyr, ochneidiodd Nain ac edrych ar Siân a Cledwyn.

"Mae arna i ofn," meddai'n araf, "ei bod hi'n amser i ni ddychwelyd."

"O diar," meddai Eiry'n drist. "Wnewch chi ddim aros am un noson arall? Mae 'na gymaint o lofftydd yma a..."

"Does 'na ddim amser, mae arna i ofn," meddai Nain gan godi o'i chadair yn araf. "Os ydw i wedi cyfri'r dyddiau'n gywir, dim ond tridiau sydd yna cyn i'r ysgol ddechrau. Mae Cled yn dechrau yn Ysgol Uwchradd Tywyn, ac mae'n rhaid i ni fynd i siopa er mwyn cael gwisg ysgol iddo fo."

"Wnewch chi ddim dod efo ni, Eiry?" gofynnodd Cledwyn, a llanwodd llygaid honno wrth glywed y cwestiwn.

"Mae'n ddrwg gen i, Cled. Mae gen i ormod o ofn. Os gwna i adael y plasty yfory, a mynd ychydig ymhellach bob dydd, efallai y rhof i sioc i chi un diwrnod cyn bo hir a dod atoch chi i Aberdyfi."

Cododd Cledwyn i roi coflaid i'w fam. Roedd hi wedi bod yn annheg, ac yn greulon ar adegau, ond gwyddai Cledwyn yn ei galon mai difeddwl oedd hi, ac nid drwg. Wrth iddi ei ddal o yn ei breichiau, teimlai Cledwyn ei dagrau'n disgyn ar ei wallt.

Daeth Siân draw a rhoi sws bach ar foch ei mam, a gafaelodd Eiry'n dynn ynddi hithau.

"Rydw i'n ymddiheuro, Siân, am bopeth a wnes i. Mi wn i dy fod ti, yn fwy na neb, wedi bod yn ofnadwy o anhapus yn y plasty, ac alla i ddim ond gobeithio y byddi di'n gallu maddau i mi."

Wrth glywed y geriau hynny roedd Siân dan deimlad wrth iddi ddweud, "Hwyl i chi, Mam. Plîs, triwch eich gorau glas i ddod i'n gweld ni."

"O Siân. Dyna'r tro cyntaf un i mi gael fy ngalw'n Mam." Wylodd y ddwy ym mreichiau ei gilydd.

"Dowch, rŵan. Ddown ni fyth i ben fel hyn." meddai Nain. "Ydi hi'n iawn i ni gael benthyg Blodug i gyrraedd adref, Eiry?"

"Mae o'n aros amdanoch chi eisoes y tu allan i'r drws," atebodd Eiry, gan sychu ei dagrau â'i llawes.

Roedd Blodug mor hardd ag erioed, a'r cerbyd arian yn disgleirio yn yr haul. Teimlai Cledwyn yn eithaf rhyfedd wrth feddwl ei fod o ar ei ffordd adref. Roedd meddwl am Aberdyfi ar ôl treulio cymaint o amser yng Nghrug yn deimlad cyffrous iawn.

"Hwyl i ti, Eiry," meddai Nain, gan ysgwyd llaw Eiry. "Cofia fod croeso i ti yn fy nghartref i unrhyw dro."

"Diolch, Gwyddfid. Diolch am edrych ar ôl Siân a Cled."

Edrychodd Eiry ym myw llygad Nain. "A Gwyddfid... mae'n ddrwg iawn gen i am Meilyr."

Nodiodd Gwyddfid ei phen yn feddylgar. Pwysodd draw i roi cusan ar foch Eiry.

Roedd Cledwyn ar fin dringo i mewn i'r cerbyd pan glywodd lais bach y tu ôl iddo.

"Hwyl fŵan, Cled."

Trodd Cledwyn a syllu ar Gili Dŵ. "Paid â bod mor wirion, Gili Dŵ! Mae'n rhaid i ti ddod efo ni, siŵr! Mae hynny'n iawn, tydi Nain?"

"Wrth gwrs. Os mai dyna mae Gili Dŵ eisiau ei wneud."

Ysgydwodd Gili Dŵ ei ben yn drist. "Diolch, Cled. Mae hynna'n gynnig cafedig iawn. Ond alla i ddim. Cfug ydi 'nghaftfe i, a fyddwn i ddim yn teimlo'n gysufus iawn yn gadael fa'ma."

"Ond..." Teimlodd Cledwyn ddagrau yn powlio i lawr ei ruddiau. "Gili Dŵ..."

"Plîs paid â chfio! Mi wnei di fy nechfa i, ac unwaith i mi ddechfa, alla i ddim stopio!" Rhowliodd deigryn bach i lawr boch Gili Dŵ. "Ffy hwyf!"

Aeth Cledwyn ar ei liniau a chofleidiodd y ddau ffrind. Gwyddai Cledwyn yn iawn beth oedd hiraeth erbyn hyn, achos roedd meddwl am fod heb ei gyfaill yn gwneud iddo deimlo'n swp sâl.

"Mi fydda i'n gweld dy eisiau di. Fy ffrind gorau," meddai Cledwyn yn dawel.

"A minnau 'fun fath," meddai Gili Dŵ, cyn chwythu ei drwyn yn llawes ei siwt. "Ond mi gei di ddod yn ôl, af dy wyliau! 'Yn ceith?"

"Wrth gwrs," meddai Nain gan wenu ar Gili Dŵ. "Hoffwn i

weld Pendramwnwgl hefyd, cofia!"

Cododd Cledwyn ar ei draed. Plygodd Siân i roi sws i Gili Dŵ, a chochodd yntau.

"Sut bydd Gili Dŵ'n mynd yn ôl i Bendramwnwgl?" gofynnodd Siân. "Gawn ni ei ollwng o yno ar y ffordd adref?"

"Na, na, mi afhosa i am ychydig ddyddiau, os ydi hynna'n iawn gan Eify. Mi aiff Blodug â mi af ôl iddo fo ddod yn ôl o Abefdyfi."

"Diolch, Gili Dŵ," meddai Eiry gan wenu. "Byddwn i'n falch o gael cwmni am ychydig. Efallai y cei di fy helpu i i fynd am dro y tu allan i dir y plasty."

"Wfth gwfs!" meddai Gili Dŵ'n fonheddig.

Dringodd Siân, Cledwyn a Nain i mewn i'r cerbyd hardd gan gadw'r drws ar agor. Cododd Eiry a Gili Dŵ eu llaw, ac wrth i Blodug ddechrau symud, gwaeddodd Gili Dŵ arnynt.

"Bfysiwch yn ôl! Mwynha Ysgol Uwchfadd Tywyn, Cled... Gwyfdd ydi'f wisg ysgol 'te? Lliw gfêt afnat tiiiiiiiiii!"

Dechreuodd Blodug garlamu gan adael Gili Dŵ o'i ôl. Caeodd Nain y drws, ac yna pwyso botwm bach arian ar wal y cerbyd. Llithrodd hanner uchaf y wal i mewn i'r hanner isaf, gan ddatgelu ffenest fawr. Edrychodd Cledwyn i gyfeiriad Gili Dŵ, a chodi llaw arno ymhell wedi i Gili Dŵ ddiflannu'n smotyn bach ar y gorwel.

Carlamodd Blodug drwy goedwigoedd, dros fynyddoedd a thros baith hir, sych. Sgwrsiodd Nain, Siân a Cledwyn drwy gydol y daith, am bopeth dan haul. Parhaodd Blodug i garlamu am oriau, tan i'r awyr ddechrau troi'n binc a'r machlud yn agosáu.

"Ew!" meddai Siân, gan edrych tua'r pellter, i'r cyfeiriad

roedd Blodug yn mynd â nhw. "Be ar y ddaear ydi hwnna?"

Cododd y tri ar eu traed, gan edrych drwy'r ffenest. Ar y gorwel, yn tyfu'n fwyfwy wrth i Blodug barhau ar garlam, fflachiai golau gwyn.

"Parti o ryw fath?" gofynnodd Cledwyn yn betrus. Roedd o'n gwybod cystal â neb ei bod hi'n ddigon posib eu bod nhw mewn perygl.

Gwyliodd y tri'r golau'n tyfu'n fwy ac yn fwy, a daeth popeth yn gliriach.

"Dacw'r dderwen!" meddai Cledwyn yn llawn cyffro. "Edrychwch!"

Roedd y dderwen yn agos yn awr, a sylweddolodd Siân a Cledwyn eu bod nhw yn y dyffryn ble gwelson nhw'r Abarimon yn carlamu; y dyffryn ble y gwnaethon nhw gyfarfod â Gili Dŵ am y tro cynta erioed. Roedd y golau yn dod o droed y dderwen, ac wrth i Blodug agosáu, craffodd Cledwyn i weld o ble roedd y golau'n dod.

"Y Cnorc!" gwaeddodd Cledwyn. "Golau'r Cnorc yw e!"

Deuai'r golau o'i fol wrth iddo eistedd ar waelod y goeden, a chodai law ar y cerbyd. Lledai gwên anferthol dros ei wyneb, ac edrychai'n llawer hapusach na phan oedd o'n byw mewn jar!

"Gwachell!" sgrechiodd Siân, gan bwyntio i fyny at frigau'r goeden. Eisteddai Gwachell ar ganghennau'r goeden yn gwenu ac yn chwifio'i law arnynt. Chwifiai Cledwyn, Siân a Nain yn ôl arno.

"Mae'n rhaid i Blodug arafu," meddai Cledwyn yn sydyn, wrth sylwi mor agos oedden nhw at y goeden. "Neu mi awn ni'n syth i mewn i'r goeden!"

Ond nid arafodd Blodug, a chyn i neb gael cyfle i sgrechian, carlamodd yn syth i mewn i'r dderwen.

Caeodd Cledwyn ei lygaid yn dynn. Disgwyliai i'r cerbyd droi drosodd, ac iddo yntau gael ei daflu blith draphlith wrth iddynt daro'r goeden. Ond parhaodd Blodug i garlamu, ac, yn araf bach, agorodd Cledwyn ei lygaid.

Roedd y dderwen wedi diflannu, ac, yn wir, Crug hefyd. Carlamai Blodug drwy dwnnel, twnnel tebyg iawn i'r un y daethai Siân a Cledwyn drwyddo i Grug wythnosau ynghynt.

Ochneidiodd Siân. "Diolch byth am hynna. O'n i'n meddwl ein bod ni wedi'i chael hi yn fan'na."

Gwnaeth tywyllwch y twnnel i bawb deimlo'n gysglyd, yn enwedig gan nad oedd golygfa ddifyr i'w gweld. Wrth feddwl am garedigwydd y Cnorc a Gwachell, a hwythau wedi teithio'r holl ffordd at y dderwen er mwyn cael ffarwelio â nhw, syrthiodd Cledwyn i drwmgwsg.

Pennod 12

SGRECH GWYLANOD. SŴN siarad a chwerthin o'r stryd islaw. Arogl tost yn crasu yn codi o'r gegin.

Agorodd Cledwyn ei lygaid yn araf, gan ymestyn ei gorff. Syllodd i fyny ar y patrymau chwyrlïog ar y nenfwd. Teimlai fel petai wedi bod yn cysgu ers wythnosau. Arhosodd yn ei wely am ychydig, gan feddwl am Eiry a Gili Dŵ. Tybed oedd Eiry wedi mentro mynd am dro y tu allan i dir y plasty erbyn hyn?

Cododd Cledwyn ac estyn crys-T a phâr o jîns allan o'i gwpwrdd. Aeth i olchi'i wyneb a brwsio'i ddannedd, a sylweddolodd nad oedd o wedi brwsio ei ddannedd o gwbl tra bu yng Nghrug. Faint o wythnosau oedd hynny? Câi o fawr o hwyl wrth fynd at y deintydd y tro nesaf.

Eisteddai Nain a Siân wrth y bwrdd bwyd, y ddwy'n sgwrsio gan fwynhau darnau mawr o dost. Gwenodd y ddwy ar Cledwyn wrth iddo ymuno â nhw wrth y bwrdd. Roedd hi'n od gweld Siân mewn jîns a chrys-T a hithau wedi bod yn gwisgo ffrogiau ers wythnosau.

"Mae'n ddrwg gen i, Cled," meddai Nain, wrth roi dau ddarn o dost a menyn ar blât iddo. "Roeddet ti'n cysgu mor drwm neithiwr, wnes i ddim dy ddeffro di. Gobeithio nad oes gormod o ots gen ti."

"Dim o gwbl," atebodd Cledwyn gan wenu. Pwyntiodd at y llun mawr o'r dderwen oedd yn ôl ar wal y gegin, y twll mawr wedi diflannu. "Mae'r twnnel wedi mynd, 'ta."

"Do, a'r llwybr o laswellt. Dwi'n falch o hynny. Fyddwn i ddim yn licio dod â'r peiriant torri glaswellt i mewn i'r tŷ," winciodd

Nain ar Cledwyn.

"Reit 'ta. Dwi am fynd i weld Beryl," meddai Siân, gan godi ar ei thraed. "Mwynha dy ddiwrnod, Cled!"

"Aros am funud, Siân," meddai Nain, gan godi oddi ar ei chadair. "Eistedda am ychydig."

"Ond mae Beryl..." dechreuodd Siân.

"Mae gen i rywbeth i chi."

Eisteddodd Siân yn ôl yn ei chadair wrth y bwrdd. Aeth Nain i gornel bella'r gegin a phenlinio wrth y ddresel. Agorodd un o'r drysau a chwilota y tu ôl i'r platiau a'r powlenni. Daeth o hyd i'r hyn y chwiliai amdano, a gosododd y llyfr coginio llychlyd ar y bwrdd, cyn troi'n ôl i gau drws y ddresel.

"Llyfr coginio?" holodd Cledwyn. "Ond pam...?"

"Mi ddyliwn i fod wedi dangos hwn i chi flynyddoedd yn ôl," meddai Nain, gan eistedd mewn cadair wag rhwng Cledwyn a Siân. "Ddyliwn i fyth fod wedi cuddio'r holl luniau."

Agorodd Nain y llyfr coginio a thynnu'r dwsinau a dwsinau o luniau a lechai rhwng y tudalennau. Syllodd Cledwyn ar fysedd hirion crychlyd ei Nain yn troi'r tudalennau ac yn gosod y lluniau'n ofalus mewn pentwr ar y bwrdd. Erbyn iddi wagio'r llyfr a'i osod yn ofalus ar y naill ochr, roedd yno gasglaid mawr o luniau a Siân a Cledwyn yn awchu am gael eu gweld.

"Mae'r rhain yn adrodd eich hanes chi," meddai Nain yn dawel. "Lluniau o Meilyr ac Eiry, a lluniau ohonoch chi'n fach."

Cymerodd Cledwyn y llun ar ben y pentwr a'i astudio'n fanwl. Roedd y baban yn y llun yn edrych yn rhyfeddol o gyfarwydd – roedd Cledwyn yn adnabod y gwallt cochlyd a'r clustiau mawr. Ef ei hun oedd yn y llun, yn gwenu'n hapus ac yn eistedd ar lin rhywun. Roedd wyneb y person a gydiai ynddo heb ei gynnwys yn y llun, ond aeth ias i lawr asgwrn cefn Cledwyn wrth weld y dwylo mawr anghyfarwydd yn gafael yn y baban bach. Mae'n rhaid mai dwylo ei dad oeddan nhw.

"Yli Cled," meddai Siân, gan wthio'r llun ar draws y bwrdd at ei brawd. Teimlai Cledwyn lwmp mawr yn ei wddf wrth iddo syllu ar y tri pherson llon yn gwenu arno yn y llun.

Roedd Nain ac Eiry'n iawn gan fod Cledwyn yn debyg i'w dad. Llun o Meilyr, Cledwyn a Siân ar draeth Aberdyfi oedd o – Cledwyn yn ifanc iawn, ychydig fisoedd oed, efallai, a Siân ychydig yn hŷn mewn ffrog haf goch. Eisteddai Cledwyn ar lin ei dad, gyda Siân yn sefyll wrth ei ymyl. Syllai Cledwyn ar wyneb ei dad. Gwenai Meilyr, ei lygaid wedi crychu yn y corneli a'r haul yn tywynnu ar ei wallt cochlyd cyrliog. Yr un gwallt â fi, meddyliodd Cledwyn, a'r un clustiau – roedd rhai Meilyr yn rhy fawr i'w ben hefyd!

Yr unig wahaniaeth amlwg oedd y wên fawr ar wyneb Meilyr. Tydw i ddim yn meddwl i mi erioed wenu mor llydan â hynny – fel pe na bai ganddo boen yn y byd, meddyliodd Cledwyn. Edrychai Meilyr mor hapus gan ddenu Cledwyn i syllu a syllu ar ei wyneb. Cafodd y teimlad ym mêr ei esgyrn ei fod o'n perthyn, bod 'na gysylltiad mor gryf rhyngddo ef a'r dyn yn y llun fel na allai neb ei dorri.

"Mae o mor debyg i ti, Cled," meddai Siân gan basio llun arall draw at ei brawd. Llun o Meilyr yn yr ysgol, yn gwenu'n gynnil.

"Dyna lun o Meilyr yn Ysgol Uwchradd Tywyn. Roedd o'n debyg iawn i ti pan aeth o yno gyntaf, Cled – yn ddihyder a braidd yn nerfus. Rydw i wedi cael fy synnu dros y blynyddoedd pa mor debyg ydach chi'ch dau. A wyddost ti Cled, yn Ysgol Tywyn y gwnaeth Meilyr ddod o hyd i'w ffrindiau."

Yn y llun nesa roedd y teulu bach i gyd yn gyflawn – Meilyr ac Eiry'n sefyll o flaen tyddyn bach gwyn, Cledwyn yn fabi newydd-anedig ym mreichiau ei fam, a Siân yn fychan yn cydio yn jîns ei thad. Gwenai Siân, Meilyr ac Eiry at y camera, gyda braich Meilyr yn dynn o amgylch canol ei wraig. Edrychai Eiry mor wahanol yn y llun yma, yn gwenu'n llydan ac yn fodlon ei byd. Roedd o'n rhyfedd ei gweld hi mewn dillad arferol yn lle'r ffrogiau llaes a wisgai yng Nghrug. Edrychai'n hyfrytach byth mewn trowsus a chrys-T, meddyliodd Cledwyn, a'r awel yn chwythu yn ei gwallt.

"Lle cafodd y llun yma'i dynnu, Nain?" gofynnodd Cledwyn, a chraffodd Nain ar y llun cyn rhoi gwên fach hiraethus.

"Tyddyn Llus ydi'r tŷ yna. Yn y fan yna y cawsoch chi'ch geni. Mae o i'w weld ar y bryniau ar y ffordd i Dywyn. Roedd o'n dŷ bach hapus, gardd fawr, patshyn i dyfu llysiau, gyda pherlysiau'n tyfu mewn potiau mawr tu allan i'r drws. Roeddwn i'n dod yno i'ch gweld chi'n aml, ac roedd y pedwar ohonoch chi'n edrych mor llawen. Tan i hiraeth ddechrau ei llethu, wrth gwrs. Ond wyddoch chi, er na wnes i ac Eiry erioed ddod yn ffrindiau go iawn, roedddwn i'n falch bod Meilyr wedi dod o hyd iddi. Roedd o mor hapus yn ei chwmni."

Am dros awr, bu Siân, Cledwyn a Nain yn pori dros y lluniau ar y bwrdd, yn craffu'n ofalus ar bob un. Y lluniau o'i dad oedd ffefrynnau Cledwyn – teimlai'n rhyfeddol o agos ato, er na allai gofio dim amdano. Roedd yna ambell i lun o Nain, ei hwyneb ychydig yn llai crychlyd a mymryn o ddu yn ei gwallt gwyn. Ond doedd 'na neb arall o gwbl yn y lluniau ar wahân i'r teulu.

"Peth rhyfedd na fyddai llun rhywun arall ynddyn nhw," sylwodd Siân. "Plant eraill o'r pentre, neu bobol 'run oed â Mam a Dad."

"Dyna oedd y drwg," ochneidiodd Nain. "Doedd gan Eiry ddim ffrindiau, a gan eich bod chi'n byw mor bell o bob man, doeddach chi ddim yn cael cyfle i weld fawr neb heblaw eich gilydd. Roedd gan Meilyr ffrindiau yn y gwaith, ond doedd gan Eiry neb. Byddai hi'n mynd yn nerfus a thawel yng nghwmni pobol eraill, ac rydw i'n amau bod pawb yn Aberdyfi'n meddwl ei bod hi'n od, braidd. Efallai, pe bai gan Eiry ffrindiau, byddai pethau wedi bod yn wahanol."

"Mae Mam a Dad yn edrych yn gariadus iawn," meddai Siân, gan graffu ar lun arall o'i rhieni a'u breichiau o amgylch ei gilydd.

"Welais i 'rioed gwpl 'run fath â nhw," meddai Nain gan wenu. "Wedi gwirioni ar ei gilydd, tan y diwedd un."

Tynnodd Cledwyn lun arall o waelodion y pentwr. Llun o Meilyr ar lan y môr, yn gwenu fel giât a'i wallt yn flêr. Disgleiriai'r môr fel diemwntau y tu ôl iddo, ac roedd ei draed ar goll o dan y dŵr. Cafodd Cledwyn deimlad od iawn wrth edrych ar y llun hwnnw, fel petai o'n gweld drwy'r llun, fel petai Meilyr wedi anfon y wên honno'n syth drwy'r camera a'r blynyddoedd at ei fab.

"Trist ydi o, ynte?" meddai Siân wrth syllu ar lun o Meilyr yn chwarae pêl gyda hi pan oedd yn eneth fach. "Tydan ni ddim yn gwybod dim am y straeon sydd y tu ôl i'r lluniau yma."

"Be wyt ti'n feddwl?" holodd Cledwyn.

"Mi fyddai'n braf cael clywed yr hanes, 'yn bysa? Pwy dynnodd y llun hwn? Ble ces i'r ffrog fach yma? Pam mae'r ddau'n chwerthin yn y llun draw fan'cw?" Ochneidiodd Siân, "Mae fel petai 'na ddarn o'n hanes ni ar goll rywsut."

"Mi gei di ofyn yr holl gwestiynau yna i Eiry pan ddaw hi i aros," meddai Nain.

"Pwy a ŵyr," meddai Siân yn freuddwydiol, "falle y daw Dad yn ôl ryw ddiwrnod."

"Peidiwch â chodi'ch gobeithion," meddai Nain yn dawel. "Roeddwn i am flynyddoedd, wyddoch chi, yn gobeithio y byddai o'n cerdded i mewn drwy'r drws yn ddirybudd. Falle ei bod hi'n well meddwl na welwn ni o eto – chawn ni mo'n siomi wedyn."

Bu saib am ychydig, cyn i Siân ofyn, "Nain? Ydach chi'n meddwl bod Dad wedi marw?"

Yr eiliad honno, daliodd Cledwyn lygaid ei dad yn y llun ac, am ryw reswm, llamodd ei galon.

"Nac ydi," meddai Cledwyn, yn hollol sicr ei fod yn dweud y gwir. "Dwi'n gwybod rhywsut ei fod o'n dal yn fyw."

Gwelodd Cledwyn Siân a Nain yn edrych ar ei gilydd dros y bwrdd. "Mi wn i eich bod chi'n meddwl 'mod i'n ddwl yn dweud hynny, ond mae gen i deimlad. Mae o'n fyw ac yn iach, ac mae o'n meddwl amdanon ni."

Cyffyrddodd Nain yn llaw Cledwyn. "Rydw i'n falch iawn dy fod ti'n credu hynny."

O'r diwedd roedd y tri ohonynt wedi edrych ar y lluniau i gyd, ac roedd Cledwyn yn teimlo'n braf ac yn fodlon, fel rhywun oedd newydd glywed cyfrinach.

"Wel, mae'n rhaid i mi fynd. Go iawn tro 'ma," gwenodd Siân wrth godi o'i chadair. "Mi fydd Beryl yn meddwl 'mod i wedi diflannu, unwaith eto!"

"Be wyt ti am ddweud wrth Beryl, Siân?" holodd Cledwyn. "Am ble 'dan ni 'di bod?"

"Dwi'n meddwl y gwna i ddweud wrthi ein bod ni wedi mynd ar wyliau munud olaf i rywle. Mi fyddwn i wrth fy modd yn dweud y gwir wrthi, ond mi fydd hi'n meddwl 'mod i'n mynd yn dw-lal!"

Ffarweliodd Siân a diflannu trwy'r drws. Arhosodd Cledwyn wrth y bwrdd.

"Wyt ti'n iawn, Cled bach?" gofynnodd Nain.

"Yndw. Er, mae hi'n od meddwl y bydda i'n dechrau yn Ysgol Uwchradd Tywyn mewn 'chydig ddyddiau. Tydw i heb feddwl am y peth yn iawn. Mi wna i golli Gili Dw, Nain. Ches i 'rioed ffrind go iawn o'r blaen."

Gwenodd Nain. "Rho di gyfle i'r ysgol newydd, ac mi fyddi di'n siŵr o ddod o hyd i rywun tebyg i ti dy hun."

Doedd Cledwyn heb ystyried hynny o'r blaen ond, wrth gwrs, roedd ei Nain yn iawn. Wedi'r cyfan, roedd Cledwyn wedi gwneud ffrind yng Nghrug, felly doedd dim rheswm yn y byd pam na ddylai o wneud ffrindiau yn yr Ysgol Uwchradd.

"Gawn ni gadw'r lluniau allan, Nain?"

"Wrth gwrs!" gwenodd Nain. "Mi fydd yn rhaid i ti a finnau ddal y bws i'r dre ar ôl cinio, i nôl gwisg ysgol a chael pethau newydd i'w rhoi yn dy gas pensiliau. Mi gawn ni sgowt rownd y siopau tra 'dan ni yno, i gael fframiau del i'r lluniau 'ma."

"Diolch, Nain. A diolch am ddangos nhw i ni."

"Mi wnes i fwynhau eu gweld nhw eto. Rŵan, mae 'na oriau nes bydd y bws yn gadael. Pam nad ei di am dro bach?"

Nodiodd Cledwyn a gwisgodd ei sgidiau am ei draed. Ymlwybrodd tuag at y drws ffrynt ac agor y drws. Roedd hi'n gythreulig o brysur yn Aberdyfi – y tywydd poeth wedi denu llawer o ymwelwyr. Safodd Cledwyn am ychydig ar stepen ei ddrws, gan fwynhau synau ac arogleuon ei gartref, cyn ymlwybro i lawr y lôn.

Cerddodd drwy'r dre gan godi llaw ar ambell siopwr, a stopiodd wrth yr harbwr. Edrychodd allan dros y dŵr, a chofio mai yn y fan hyn y bu bron i'w dad foddi unwaith. Beth, tybed, roedd Gili Dŵ'n ei wneud rŵan?

"Wel, sbiwch pwy sy fa'ma!" Clywodd Cledwyn lais main cyfarwydd yn agosáu. Trodd i weld Caryl, Donna a Nerys yn cerdded tuag ato, a gwên sbeitlyd ar eu hwynebau. "Lle rwyt ti 'di bod dros y gwylia, Cled Clustia? Rydan ni wedi bod mor lwcus gan nad ydyn ni wedi dy weld ti na dy ddioddef di o gwbwl."

"Lle bynnag buest ti, mae'n biti na fyddet ti a dy glustia ddim 'di aros yno," ychwanegodd Nerys, gan chwerthin ar ei jôc ei hun. Trodd Cledwyn i gerdded i ffwrdd.

"Aeth yr het ddwl o Nain efo ti?" meddai Caryl gan chwerthin.

Trodd Cledwyn i wynebu Caryl. Cerddodd yn hamddenol, ond yn llawn hyder, yn ôl ati hi.

"Paid ti â meiddio," meddai'n gadarn ac yn wir yn fygythiol. Gwgodd Caryl.

"Paid â meiddio be?" meddai, wedi drysu'n lân bod rhywun fel Cledwyn yn meiddio ei hateb yn ôl.

"Caryl, paid ti â meiddio dweud pethau cas am Nain. A dweud y gwir, paid ti â meiddio dweud pethau cas am neb wrtha i eto."

"Be...?" meddai Caryl, gan fethu â choelio ei chlustiau.

"Mi rwyt ti'n hen ferch gas, greulon ac wrth dy fodd yn

brifo teimladau pobol erill, Caryl. A chitha hefyd, yn ddigon dwl i'w dilyn hi," meddai Cledwyn yr un mor gadarn, wrth droi at Donna a Nerys. Mwynhaodd weld yr olwg gegrwth ar eu hwynebau. Trodd i gerdded i ffwrdd, cyn gweiddi, "Wela i chi yn Ysgol Tywyn!"

Cerddodd Cledwyn tuag at y traeth a gwên lydan ar ei wyneb. Chwarddodd wrth glywed y clychau persain yn llenwi'r awyr, cyn ochneidio'n bleserus wrth deimlo haul poeth Aberdyfi'n tywynnu uwch ei ben.

Am restr gyflawn o nofelau cyfoes Y Lolfa,
mynnwch gopi o'n catalog rhad
neu hwyliwch i mewn i'n gwefan

www.ylolfa.com

Ile gallwch archebu llyfrau ar lein

TALYBONT CEREDIGION CYMRU SY24 5AP
ebost ylolfa@ylolfa.com
gwefan www.ylolfa.com
ffôn 01970 832 304
ffacs 832 782